A marca FSC® é a garantia de que a madeira utilizada na fabricação do papel deste livro provém de florestas que foram gerenciadas de maneira ambientalmente correta, socialmente justa e economicamente viável, além de outras fontes de origem controlada.

cacau

COLEÇÃO JORGE AMADO

Conselho editorial
Alberto da Costa e Silva
Lilia Moritz Schwarcz

Coordenação editorial
Thyago Nogueira

O país do Carnaval, 1931
Cacau, 1933
Suor, 1934
Jubiabá, 1935
Mar morto, 1936
Capitães da Areia, 1937
ABC de Castro Alves, 1941
O cavaleiro da esperança, 1942
Terras do sem-fim, 1943
São Jorge dos Ilhéus, 1944
Bahia de Todos-os-Santos, 1945
Seara vermelha, 1946
O amor do soldado, 1947
Os subterrâneos da liberdade
    Os ásperos tempos, 1954
    Agonia da noite, 1954
    A luz no túnel, 1954
Gabriela, cravo e canela, 1958
De como o mulato Porciúncula descarregou seu defunto, 1959
Os velhos marinheiros ou O capitão-de-longo-curso, 1961
A morte e a morte de Quincas Berro Dágua, 1961
O compadre de Ogum, 1964
Os pastores da noite, 1964
A ratinha branca de Pé-de-vento e A bagagem de Ótalia, 1964
As mortes e o triunfo de Rosalinda, 1965
Dona Flor e seus dois maridos, 1966
Tenda dos Milagres, 1969
Tereza Batista cansada de guerra, 1972
O gato malhado e a andorinha Sinhá, 1976
Tieta do Agreste, 1977
Farda, fardão, camisola de dormir, 1979
O milagre dos pássaros, 1979
O menino grapiúna, 1981
A bola e o goleiro, 1984
Tocaia Grande, 1984
O sumiço da santa, 1988
Navegação de cabotagem, 1992
A descoberta da América pelos turcos, 1992
Hora da Guerra, 2008
Toda a saudade do mundo, 2012
Com o mar por meio: Uma amizade em cartas (com José Saramago), 2017

cacau

JORGE AMADO

Posfácio de José de Souza Martins

5º *reimpressão*

Copyright © 2010 by Grapiúna Produções Artísticas Ltda.
1ª edição, Ariel Editora, Rio de Janeiro, 1934

Grafia atualizada segundo o Acordo Ortográfico da Língua Portuguesa de 1990, que entrou em vigor no Brasil em 2009.

Consultoria da coleção Ilana Seltzer Goldstein

Projeto gráfico Kiko Farkas e Mateus Valadares/ Máquina Estúdio

Pesquisa iconográfica do encarte Bete Capinan

Imagens de capa © Edu Simões/ Caderno de Literatura Brasileira/ Acervo Instituto Moreira Salles; © Luiza Chiodi/ Companhia Fabril Mascarenhas (chita); © Acervo Fundação Casa de Jorge Amado (orelha). Todos os esforços foram feitos para determinar a origem das imagens deste livro. Nem sempre isso foi possível. Teremos prazer em creditar as fontes, caso se manifestem.

Cronologia Ilana Seltzer Goldstein e Carla Delgado de Souza

Preparação Leny Cordeiro

Revisão Ana Maria Barbosa e Carmen T. S. da Costa

Texto estabelecido a partir dos originais revistos pelo autor. Os personagens e as situações desta obra são reais apenas no universo da ficção; não se referem a pessoas e fatos concretos, e não emitem opinião sobre eles.

Dados Internacionais de Catalogação na Publicação (CIP)
(Câmara Brasileira do Livro, SP, Brasil)

Amado, Jorge, 1912-2001.
Cacau / Jorge Amado ; posfácio de José de Souza Martins.
— São Paulo : Companhia das Letras, 2010.

ISBN 978-85-359-1726-0

1. Romance brasileiro I. Martins, José de Souza II. Título.

10-07769   CDD-869.93

Índice para catálogo sistemático:
1. Romance: Literatura brasileira   869.93

Diagramação Spress
Papel Pólen, Suzano S.A.
Impressão Gráfica Santa Marta

[2024]
Todos os direitos desta edição reservados à
EDITORA SCHWARCZ S.A.
Rua Bandeira Paulista, 702, cj. 32
04532-002 — São Paulo — SP
Telefone: (11) 3707-3500
www.companhiadasletras.com.br
www.blogdacompanhia.com.br
facebook.com/companhiadasletras
instagram.com/companhiadasletras
twitter.com/cialetras

Para
Maria Nícia de Mendonça, Maria Teresa Monteiro
Alves Ribeiro, Da Costa Andrade
João Cordeiro e Raul Bopp.

Nota do autor

Tentei contar neste livro, com um mínimo de literatura para um máximo de honestidade, a vida dos trabalhadores das fazendas de cacau do sul da Bahia. Será um romance proletário?

Rio, 1933

☼

FAZENDA FRATERNIDADE

AS NUVENS ENCHERAM O CÉU até que começou a cair uma chuva grossa. Nem uma nesga de azul. O vento sacudia as árvores e os homens seminus tremiam. Pingos de água rolavam das folhas e escorriam pelos homens. Só os burros pareciam não sentir a chuva. Mastigavam o capim que crescia em frente ao armazém. Apesar do temporal os homens continuavam o trabalho. Colodino perguntou:

— Quantas arrobas você já desceu?
— Vinte mil.

Antônio Barriguinha, o tropeiro, pegou do último saco:

— Esse ano o home colhe oitenta mil...
— Cacau como diabo!
— Dinheiro pra burro...

Desamarraram os burros e Barriguinha tangeu-os:

— Vambora, tropa desgraçada...

Os animais começaram a andar de má vontade. Antônio Barriguinha chicoteava-os:

— Burro miserave... Carbonato, dianho, vambora...

Na frente, Mineira, a madrinha da tropa, chocalhava guizos. A chuva caía, um aguaceiro grande. A casa do coronel estava com as janelas fechadas. Honório, que vinha da roça, chalaceou com Barriguinha:

— Eh! Muié de tropeiro!

— Como vai, amásia do podador?

— Como vai tua mãe?

— A tua tá ficando frouxa...

A tropa, carregada de sacos de cacau, desaparecia na volta da estrada. Atrás, Antônio Barriguinha, forte e alto, amulatado, a tocar os burros com um chicote comprido.

Honório subiu a ladeira e cumprimentou Colodino:

— Bom dia.

— Um dia desgraçado. Chuva que não acaba mais.

E de repente, mudando de assunto:

— Já desceu vinte mil arrobas, Honório.

— Então Mané Frajelo tá contente.

— Se tá...

Honório sentou-se na pedra junto a Colodino, dando as costas ao armazém, que conservava as portas fechadas. Em frente, cercada por um jardim, lindo de jasmineiros e roseiras, a casa-grande da fazenda, de janelas azuis e varanda verde. Em cima uma tabuleta de um pintor barato:

FAZENDA FRATERNIDADE

do coronel Manoel Misael de Souza Telles

Honório riu um riso alvar, com seus dentes brancos, magníficos, que contrastavam com o rosto negro e os lábios grossos:

— Mané Frajelo.

— Mané Miserave Saqueia Tudo.

Honório cuspiu:

— Merda Mexida Sem Tempero.

Ficaram olhando. Como era grande a casa do coronel... E morava tão pouca gente ali. O coronel, a mulher, a filha e o filho, estudante, que nas férias aparecia, elegante, estúpido, tratando os trabalhadores como escravos. E olharam as suas casas, as casas onde dormiam. Estendiam-se pela estrada. Umas vinte casas de barro, cobertas pela palha, alagadas pela chuva.

— Que diferença...

— A sorte é Deus quem dá.

— Qual Deus... Deus também é pelos ricos...

— Isso é mesmo.

— Eu queria ver o Mané Frajelo dormir aqui.

— Devia ser divertido.

Colodino acendia um cigarro. Honório pegou da foice de podar os cacaueiros e contou:

— A roça lá detrás do rio tá assinzinha de cacau. Um safrão.

— Esse ano, o homem colhe umas oitenta mil.

Nós ganhávamos três mil e quinhentos por dia e parecíamos satisfeitos. Ríamos e pilheriávamos. No entanto, nenhum de nós conseguia economizar um tostão que fosse. A despensa levava todo nosso saldo. A maioria dos trabalhadores devia ao coronel e estava amarrada à fazenda. Também quem entendia as contas de João Vermelho, o despenseiro? Éramos quase todos analfabetos. Devíamos... Honório devia mais de novecentos mil-réis e agora nem podia se tratar. Um impaludismo crônico quase o impedia de andar.

Assim mesmo partia às seis horas da manhã para podar as roças, depois de comer um prato de feijão com carne-seca. Era um tipo curioso aquele Honório. Preto, forte, alto, brigão, estava na fazenda há quase dez anos. Um bom camarada, capaz de se sacrificar pelos outros. Apesar dele dever muito, o coronel o conservava.

Diziam que ele já fizera algumas mortes a mando de Mané Frajelo. Não sei se é verdade. Sei que Honório era o melhor camarada desse mundo. Bebia cachaça pelo gargalo da garrafa e jamais foi visto embriagado. Mané Frajelo respeitava-o.

Mané Frajelo fora um apelido posto na cidade. Pegou. Um flagelo, de fato, aquele homem gordo, de setenta anos, que falava com uma voz arrastada e vestia miseravelmente. Manoel Misael de Souza Telles era o seu verdadeiro nome. Possuía mais de oitenta mil contos e as suas fazendas estendiam-se por todo o município de Ilhéus. Nós fazíamos contas à noite. João Grilo, magro como um espeto, mulato gozado, que contava anedotas, bancava o matemático. Sentava nas tábuas que lhe serviam de cama e, enquanto Colodino passava os dedos pela viola, fazia as contas:

— Oitenta mil arrobas, a doze e quinhentos, são...

— ...mil contos.

— É o que Merda Mexida Sem Tempero tem de lucro só em cacau.

Nós arregalávamos os olhos admirados. Mil contos... E nos pagava três mil e quinhentos por dia.

INFÂNCIA

POUCO ME RECORDO DE MEU PAI. Ficamos muito crianças eu e minha irmã, ela com três, eu com cinco anos, quando ele morreu. Lembro-me apenas que minha mãe soluçava, os cabelos caídos sobre o rosto pálido, e que meu tio, vestido de preto, abraçava os presentes com uma cara hipócrita de tristeza. Chovia muito. E os homens que seguravam o caixão andavam depressa, sem atender aos soluços de mamãe, que não queria deixar que levassem o seu marido.

Papai, quando vinha da fábrica, me fazia sentar sobre os seus joelhos e me ensinava o abc com a sua bela voz. Era delicado e incapaz, como diziam, de fazer mal a uma formiga. Brincava com mamãe como se ainda fossem namorados. Mamãe, muito alta e muito pálida, as mãos muito finas e muito longas, era de uma beleza esquisita, quase uma figura de romance. Nervosa, às vezes chorava sem motivo. Meu pai tomava-a então nos seus braços fortes e cantava trechos de músicas que faziam com que ela sorrisse. Nunca ralhavam conosco.

Depois que ele morreu, mamãe passou um ano meio alucinada, jogada para um canto, sem ligar aos filhos, sem ligar às roupas, fumando e chorando. Tinha ataques por vezes horríveis. E enchia de gritos dolorosos as noites calmas do meu Sergipe.

Quando após esse ano ela voltou ao estado normal e quis acertar os negócios de papai, meu tio provou, com uma papelada imensa, que a fábrica era dele só, pois meu pai — afirmava com o rosto vermelho e as mãos levantadas num gesto de escândalo — meu pai, meio louco e meio artista, deixara unicamente dívidas que meu tio pagaria para não se desmoralizar o nome da família.

Mamãe silenciou, coitada, e nos apertou nos seus braços, pois nós tremíamos toda a vez que meu tio aparecia com a sua cara vermelha, a sua barriga cultivada, a sua roupa de brim e aqueles seus olhos pequenos e perversos.

Vivia passando as mãos pela barriga. O meu tio... Mais velho que meu pai dez anos, cedo se tocara para o Rio de Janeiro, onde levou muito tempo sem dar notícias e sem que se soubesse o que fazia. Quando os negócios de meu pai estavam prósperos, ele escreveu a queixar-se da vida, dizendo que queria voltar. E veio, logo após a carta. Papai deu-lhe sociedade na fábrica.

Veio com a esposa, tia Santa, santa de verdade, pobre mártir daquele homem estúpido.

Papai vivia inteiramente para nós e para o seu velho piano. Na fábrica conversava com os operários, ouvia as suas queixas, e sanava os seus males quanto possível. A verdade é que iam vivendo em boa harmonia ele e os operários, a fábrica em relativa prosperidade. Nunca chegamos a ser muito ricos, pois meu pai, homem avesso a negócios, deixava escapar os melhores que apareciam. Fora educado na Europa e tivera hábitos de nômade. Esquadrinhara parte do mundo e amava os objetos velhos e artísticos, as coisas frágeis e as pessoas débeis, tudo que dava ideia ou de convalescença ou de fim próximo. Daí talvez a sua paixão por mamãe. Com a sua magreza pálida de macerada, ela parecia uma eterna convalescente. Papai beijava as suas mãos finas devagar, muito de leve, com medo talvez que aquelas mãos se partissem. E ficavam horas perdidas em longo silêncio de namorados que se compreendem e se bastam. Não me recordo de tê-los ouvido fazer projetos.

Nós, eu e minha irmã, éramos como que bonecos para papai e mamãe.

Quando meu tio chegou, mudou tudo. Ele não fora à Europa e se parecia muito com vovó, que fizera, dos dezoito anos de vida em comum com meu avô, uma dessas tantas tragédias anônimas e horríveis que nascem do casamento da estupidez com a sensibilidade.

Dava nos filhos dos operários, o que não admirava, porque, como murmuravam pela cidade, ele espancava a esposa.

Pobre tia Santa! Tão boa, amava tanto as crianças e rezava tanto que tinha calos nos dedos, provocados pelas contas do rosário. Morreu e a doença foi o marido. Meu tio deflorara uma operária e fora viver com ela publicamente. Santa não resistiu ao desgosto e morreu com o rosário entre as mãos, pedindo a papai que não abandonasse o miserável.

A fábrica prosperou muito. Nunca consegui compreender por que o salário dos operários diminuiu. Papai, fraco por natureza, não tinha coragem de afastar titio da fábrica, e um dia, quando tocava ao piano um dos seus trechos prediletos, teve uma síncope e morreu.

A cidade subia pelas ladeiras e parava lá em cima, bem junto ao imenso convento. Olhando do alto, via-se a fábrica, ao pé do monte pelo qual se enroscava a cidade como uma cobra de uma só cabeça e inúmeros corpos. Talvez não fosse bela a velha São Cristóvão, ex-capital do estado, mas era pitoresca, pejada de casas coloniais, um silêncio de fim de mundo, as igrejas e os conventos a abafarem a alegria das quinhentas operárias que fiavam na fábrica de tecidos.

Acho que meu pai montara a fábrica em São Cristóvão devido à decadência da cidade, à sua paz e ao seu sossego, triste cidade parada que devia apaixonar os seus olhos e o seu espírito cansado de paisagens e de aventuras.

Nós morávamos então num enorme e secular sobrado, ex-morada particular dos governadores, uma pesadíssima porta de entrada, as janelas irregulares, todo pintado de vermelho, grandes quartos, nos quais eu e Elza nos perdíamos durante o dia brincando de picula. À noite, por brinquedo algum entraríamos num deles, pois temíamos as almas vagabundas do outro mundo, almas penadas que assoviavam e arrastavam correntes, segundo a veracíssima versão de Virgulina, preta centenária que criara mamãe e nos criava agora.

Ao lado da nossa casa ficava o ex-palácio do governo, quase a cair, transformado em quartel onde alguns soldados habitavam, sujos e preguiçosos. Em frente, o orfanato, seis freiras e oitenta meninas, filhas de operárias e pais ignorados. Essas meninas não saíam. Algumas, quando crescidas, voltavam à fábrica onde haviam nascido, e de onde mandariam novas meninas, sem sobrenome, para o orfanato. Outras, as mais alvas, iam ser freiras e se estendiam pelo país. Mais adiante, o convento de São Francisco, tão grande, tão silencioso, que eu nunca consegui vê-lo sem um certo receio. Habitavam-no apenas quatro frades, mas esses quatro frades dominavam a cidade. Faziam sermões, onde fantasiavam das cores mais negras o inferno. E essas coisas ditas naquela língua meio alemã, meio brasileira, pareciam mais horríveis ainda. Nós, os garotos, temíamos o inferno e temíamos ainda mais os frades.

Sinval, meu futuro companheiro de vagabundagem, me contava que eles obrigavam os operários a trabalhar de graça na remodelação da catedral (onde havia um gigantesco são Cristóvão, apoiado num coqueiro, carregando um minúsculo Menino Jesus, tudo isso bordado de ouro) e aqueles que não se sujeitavam eram denunciados a meu tio, convidado frequente do jantar dos padres, que os despedia.

As casas, todas antiquadas e atijoladas, estendiam-se pela praça do convento e equilibravam-se pelas ladeiras.

À noite, botavam cadeiras no passeio e as velhas contavam histórias engraçadas do tempo do meu avô. Os garotos ficavam correndo em volta do cruzeiro, negro do tempo.

As raras moças ricas iam para o colégio das freiras em Aracaju, e quando voltavam professoras tinham sempre um noivo bacharel, muita malícia e assassinavam, no dizer de meu pai, músicas modernas ao piano.

Isso pelas ladeiras e pela praça era gente fina, a elite, a aristocracia. Lá embaixo ficava a fábrica, a vila operária, a plebe.

A fábrica era um caixão branco cheio de ruídos e de vida. Setecentos operários, dos quais quinhentas e tantas mulheres. Os homens emigravam, dizendo que "trabalhar em fiação é só pra mulher". Os mais fracos não iam e casavam e tinham legiões de filhas, que substituíam as avós e as mães quando já incapazes abandonavam o serviço.

O nascimento de uma filha, recebiam-no com alegria. Mais duas mãos para o trabalho. Um filho, ao contrário, consideravam um desastre. O filho comia, crescia e ia embora ou para os cafezais de São Paulo ou para os cacauais de Ilhéus, numa ingratidão incompreensível. Saindo da fábrica atravessava-se uma pinguela sobre um ribeiro e chegava-se à vila Cu com Bunda, moradia de quase todos os operários. Um grande retângulo, no qual os fundos das casas se encontravam. Daí o nome pitoresco que lhe haviam posto. No meio dessas casinhas avultavam a enfermaria e o gabinete dentário. O dentista vinha de Aracaju duas vezes por semana. Sinval dizia:

— Operário só pode ter dor de dentes terças e sextas...

O enfermeiro residia em São Cristóvão, porém, cabo eleitoral do meu tio, perdia muito tempo nisso.

A vila Cu com Bunda, a plebe, alegrava-se à noite quando as violas diziam cocos e a garrafa de pinga corria de mão em mão. Os operários liam então as cartas dos parentes que estavam em Ilhéus e faziam projetos de uma emigração coletiva.

O cacau exercia sobre eles uma fascinação doentia. Os frades de quando em vez desciam e, procurando não se aproximar dos meninos piolhentos, sorriam para os operários e falavam de um "consertozinho na igreja ou no convento"...

Quando meu pai morreu e após meu tio declarar a nossa miséria, fomos morar numa casinhola no começo de uma ladeira. Eu fiquei muito mais perto do proletariado da Cu com Bunda do que da aristocracia da decadente São Cristóvão.

Acostumei-me a jogar futebol com os filhos dos operários. A bola, pobre bola rudimentar, fazia-se de bexiga de boi cheia de ar. Tornei-me camarada de um garoto chamado Sinval, rebento único de uma operária cujo marido morrera em São Paulo, metido numas encrencas com a polícia, não sei bem por quê. Sei que os operários falavam dele como de um mártir. E Sinval desancava os patrões o mais que podia. Franzino, os ossos quase a aparecer, possuía no entanto uma voz firme e um olhar agressivo. Chefiava a gente nos furtos às mangas e cajus dos sítios vizinhos. E toda vez que meu tio passava cuspia de lado. Dizia que apenas completasse dezesseis anos embarcaria para São Paulo, para lutar como seu pai. Só muito depois é que eu vim compreender o que significava tudo isso.

Frequentamos, eu e Elza, a escola. Mamãe fazia rendas e seus pais ajudavam o nosso sustento. Quando fiz quinze anos fui trabalhar na fábrica. Eu era então um rapazola forte, troncudo. O menino anêmico que eu fora se transformara em um adolescente de músculos rijos treinados em brigas de moleques.

Aparentava muito mais idade do que tinha realmente. Vivera sempre entre os molecotes pobres da cidade, pobre que eu era como eles. Agora ia ser igual a eles completamente, operário de fábrica. Sinval não me diria mais com seu sorriso mofador:

— Menino rico...

Cinco anos aturei na fábrica a brutalidade do meu tio. Sinval, aos dezessete, vendera o que possuía em roupas e móveis e tocara para as fábricas ou para as fazendas de São Paulo. A primeira e última notícia que tivemos dele foi dois anos depois. Estava metido numa greve e esperava ser preso a qualquer momento. Depois nem uma carta, nem um bilhete, nada. Os operários afirmavam:

— Seguiu o destino do pai — e cerravam os punhos enraivecidos. Mas a fábrica apitava e eles se curvavam, magros e silenciosos.

Minhas mãos estavam então calejadas e meus ombros, largos. Esquecera muito do pouco que aprendera na escola, mas em compensação sentia um certo orgulho da minha situação de operário. Não trocaria meu trabalho na fiação pelo lugar de patrão. Meu tio, o dono, estava bem mais velho e mais vermelho e mais rico. A barriga era o índice da sua prosperidade. À proporção que meu tio enriquecia ela se avolumava. Estava enorme, indecente, monstruosa. Poucas fortunas em Sergipe se igualavam nesse tempo à sua. Dava esmolas unicamente ao convento (onde papava jantares) e ao orfanato. A este ele dava esmolas e órfãs. Não se podia contar pelos dedos, nem juntando os dos pés, o número de operárias desencaminhadas por meu tio.

Paixão que tive aos catorze anos por uma rameira gasta e sifilítica, com a qual iniciei a minha vida sexual. Amor, aos dezoito, platônico, por uma loura pequena do orfanato que foi ser freira e enfim, aos vinte, o pensamento de me amigar com a Margarida, operária como eu. Isso deu maus resultados. Meu tio andava também de olho na Margarida, que ostentava uns seios altos e alvos, junto a um rosto de criança travessa. Margarida um dia me contou que o patrão andava a apalpá-la. E ria, cínica. Eu acho que foi o seu riso que me fez ir às fuças do meu tio. Estraguei-lhe a cara hipócrita. Fui despedido.

São Paulo parecia à minha mãe e a Elza o fim do mundo. Por nada deixariam que eu fosse para lá. Eu comecei a falar em Ilhéus, terra do cacau e do dinheiro, para onde iam levas e levas de emigrantes. E como Ilhéus ficava apenas a dois dias de navio de Aracaju, elas consentiram que eu me jogasse, numa manhã maravilhosa de luz, na terceira classe do *Murtinho*, rumo à terra do cacau, eldorado em que os operários falavam como da terra de Canaã.

Mamãe chorava, Elza chorava, quando me abraçaram na tarde em que segui para Aracaju — tomar o vapor. Eu olhei a velha cidade de São Cristóvão, o coração cheio de saudade. Tinha certeza de que não voltaria mais à minha terra.

Os filhos dos operários jogavam futebol com uma bexiga de boi cheia de ar.

VIAGEM

OS PASSAGEIROS DA PRIMEIRA garantiam que o *Murtinho* desmoralizava qualquer companhia de navegação. Achavam a primeira classe miserável. Calculem o que não era a terceira.

No entanto, o jornal oficial de Aracaju anunciava assim:

É ESPERADO

O RÁPIDO E LUXUOSO PAQUETE *MURTINHO*

entre os dias 24 e 29 do corrente.

ALUGADO

SALTEI EM ILHÉUS com dezesseis mil e quatrocentos, uma pequena trouxa de roupa e uma grande esperança não sei mesmo de quê.

Um carregador me informou que pensão para quem procura trabalho só na Ilha das Cobras, aglomerado de ruelas que se escondia no fim da cidade pequena e movimentada. E até me recomendou a casa de d. Coleta, onde o sarapatel era suculento. Era suculento de verdade. Mas por ele e pela cama em que dormia eu pagava diariamente dois mil-réis. Passei quinze dias na pensão de d. Coleta. Já devia catorze mil-réis e ela fez-me ver que tinha sido muito condescendente comigo, que eu pelo menos deixasse o quarto e a boia para outro hóspede que pudesse pagar. Ela era pobre e não podia...

Peguei a minha trouxa e saí. O cacau nesse ano começara a cair e não estava muito fácil arranjar trabalho. Eu batera em várias portas sem resultado.

— Não há serviço.

A resposta dançava junto dos meus ouvidos. No dia em que saí da pensão de d. Coleta andei atrás de serviço. Os coronéis recusavam. A safra ainda não começara e havia fartura de trabalhadores. E olhavam para mim como para um inimigo que os fosse roubar.

Fiquei parado em frente ao porto. Um navio transpunha a barra rumo à Capital. Um relógio de uma casa comercial badalou quatro horas. Apesar de tudo eu não sentia fome. Sentia ódio de todos. Andei ao léu o resto da tarde. Os homens passavam para suas casas carregados de embrulhos. Então comecei a sentir fome. Assim como uma legião de ratos a me roer o estômago. Uma coisa esquisita que me dava vontade de chorar e furtar.

A noite cobria a cidade. Ficou apenas o pisca-pisca das lâmpadas elétricas. Detive-me junto a uma padaria. Molecotes e empregados entravam e saíam com embrulhos de pães e biscoitos. Eu entrei também. E quedei-me olhando o imenso monte de pão que subia pela parede até tocar na imagem de são José, padroeiro da Pastelaria X do Problema. Pensei em Jesus multiplicando os pães. Mas logo depois não via mais Jesus. Via a fome. E a fome com os cabelos de Jesus e os seus olhos suaves. A fome multiplicava os pães, enchia a pastelaria toda, deixando um canto apenas para o empregado. Após multiplicar, dividia. A fome tinha agora um manto de juiz e a mesma expressão terna de Jesus. E dava os pães todos aos ricos, que entravam em procissão com notas de cem mil-réis nos dedos com anéis e mostrava um grande pedaço de língua aos pobres, que na porta estendiam os braços secos. Mas os pobres invadiam a X do Problema, derrubavam a imagem da fome e levavam os pães. Fui entrando com eles. Mas o empregado deteve-me:

— O que é que quer?

Passei a mão pela testa. O suor corria. Os ratos, no meu estômago, roíam, roíam... Olhei e vi que os pães e o são José continuavam no fundo da padaria. Murmurei para o empregado que se dispunha a chamar o guarda:

— Me desculpe. Não quero nada, não.

Os criados entravam com dinheiro e saíam com pão.

Cidade pequena, eu rodei por todas as ruas. Acostumara, por assim dizer, com a fome. Olhava para as raras pessoas que ainda perambulavam pela cidade, com um ar de espanto. Às vezes elas me olhavam também. Eu sorria confuso, quase com vergonha de ter fome.

Devia ser meia-noite quando travei conversa com um guarda-civil, bem em frente da Intendência. Parecia namorar o jardim e me ofereceu um cigarro. Não sei o que foi que me deu, sei que contei toda a minha história. E fumava voluptuosamente aquele cigarro, meu primeiro alimento do dia. O guarda me levou à padaria, onde me deram um pão de quinhentos réis. Comi, cortando em pedaços pequenos. Depois agradeci:

— Obrigado, mano velho.

— Não há de quê. Olhe, eu já passei muita fome. É ruim no primeiro dia. Depois a gente acostuma... Com que é que a gente não se acostuma neste mundo? O pior (o guarda fitava as estrelas com um ar estranho) é quando se tem filhos. Você é solteiro, não é? Pois eu, cá como me vê, com cento e vinte mil-réis de ordenado, tenho mulher e seis filhos. Seis...

E abria os dedos, um ar estranho, o rosto contraído. Tinha ódio não sei de quem. Fomos andando devagarinho e ele continuou:

— Seis. O mais moço mal fez um ano. E a mulher já está com a barriga por aí além.

Levava as mãos ossudas para a frente, dando uma perfeita ideia de como estava a mulher. Falava agora revoltado e cuspia:

— Uma merda, uma porcaria essa vida. Às vezes eles, os ricos, me dizem: "Por que você faz tanto filho, Roberto?". Ora por quê... Que havia a gente de fazer senão filhos? A gente não vai a cinema, não vai a divertimento algum...

Apontava o morro da Conquista:

— Moro lá em cima, camarada. Há pouca comida e muita boca. Mas num dia de fome sempre se encontra o que comer.

Chegamos ao porto. Um prédio enorme dormia, pesado na noite.

Roberto explicou:

— Um sobrado do coronel Manoel Misael de Souza Telles. Ricaço daqui. Embaixo é o banco dele. Tem dinheiro...

Cuspia:

— Um idiota. Nem goza a vida. A alegria desse miserável é fazer mal aos outros. A mãe morreu pedindo esmola e o irmão vive aí cheio de feridas, vestido que nem a gente. Miserável assim nunca vi. Tem duas amantes.

— É moço ainda?

— Nada. Velho de setenta anos... Já deve ser brocha...

— E para que quer amantes?

— Chuparino, quem sabe?

Cuspiu de novo. Agora estávamos na ponte. Grandes canoas imóveis sobre a água. A lua no céu, Roberto encostou-se.

— Pois eu aqui como está me vendo, não fui guarda toda a vida. Já tive dinheiro. Montei uma loja. Perdi tudo, nunca dei para ladrão. Passei fome, hoje ganho cento e vinte mil-réis. Mas estou contente, sabe? É preferível ser pobre a ser rico e viver como esse miserável. De que servem eles? Só sabem furtar... E rezam. Rezam, acredite. Pretendem o céu. Talvez comprem mesmo um lugar por lá. Hoje se vende tudo. Olhe, eu me orgulho de ser guarda. Me orgulho. Um dia, um dia...

Eu ficava pensando naquela esperança de todo operário, esperança que já era um pouco minha.

— Esse dia não deve tardar...

Roberto apontou o prédio do coronel:

— Hei de morar ali.

Negócio de meio-dia eu ainda vagava pelas ruas. Andava quase sem pensar, semiesfomeado. Possivelmente eu acabaria por invadir um daqueles armazéns e furtar o que comer. Foi quando me encontrei novamente com Roberto.

— Vamos comer, camarada.

Fui com ele a uma vendola, perto do porto, no fundo da qual uns quinze homens almoçavam. Roberto pediu duas feijoadas. Cumprimentava os homens que comiam. Um deles, preto e nu da cintura para cima, veio sentar-se junto a nós. A feijoada chegou. Roberto fez as apresentações:

— O 98.

— Um sergipano que procura trabalho.

O 98 olhou-me, sorrindo.

— Trabalho tá ruinzim agora. A não ser que você queira pegar no duro.

— Aonde?

— Nas roças. Pegar na enxada.

— Pego. Até já procurei trabalho nas fazendas...

— O coronel Misael é capaz de querer. Já foi lá?

— Não.

— Vamo depois do pisa.

— Obrigado, 98.

Fomos depois do almoço à sede do banco de Mané Frajelo. Ele me olhou de alto a baixo:

— Quantos anos?

— Vinte.

— De que estado?

— Sergipe.

— Já trabalhou em roça?

— Já — menti.

— Está direito, pode ir para a roça. Tem dinheiro para a passagem?

— Não senhor.

— Então arranje. Eu é que não dou. Tome o trem para Pirangi. Lá pergunte a qualquer pessoa onde é a minha fazenda. Se apresente ao meu empregado. Ele lhe dá serviço. E trate de não me roubar...

Como se parecia com o meu tio, o coronel!

O 98 virou-se para mim:

— Está você *alugado* do coronel.

Estranhei o termo:

— A gente aluga máquina, burro, tudo, mas gente, não.

— Pois nessas terras do Sul, gente também se aluga.

O termo me humilhava. Alugado... Eu estava reduzido a muito menos que homem...

Foram eles que me arranjaram o dinheiro para a passagem. Dormi essa noite na casinhola de Roberto, no alto da Conquista. No outro dia, pela manhã, eu embarcava na segunda classe da estrada de ferro Ilhéus-Conquista, rumo ao arraial de Pirangi, o mais novo e o maior distrito da zona do cacau. Pensei em Sinval. Que diria ele agora se soubesse que o "menino rico" ia trabalhar na enxada...

SEGUNDA CLASSE

CHOVIA. A CLASSE ERA UMA MISÉRIA. A gente nem podia se sentar. A água caía do teto e os bancos de madeira estavam pingando. Num canto, um velho conservava o guarda-chuva aberto e lia um jornal. De quando em vez cuspia para os lados, fazendo com a língua um estalido estranho. A classe estava cheia. Restava um único lugar entre o velho e uma rapariga de faces muito pintadas. Arriei a minha trouxa no chão e sentei-me. O velho me olhou pelo canto dos olhos e cuspiu com o ruído de sempre. A rameira sorriu e fez um gesto como para dizer que o velho era doido. Estávamos silenciosos como que de castigo. Da primeira classe vinha um rumor de vozes e risos. Um vendedor de revistas atravessou correndo a nossa classe, para a primeira. Pisou o pé do velho, que resmungou uma série de nomes feios, que faziam a rameira sorrir. A máquina apitou e começou a andar devagar. Na primeira classe havia choros e despedidas. Das janelas lenços que acenavam adeuses e da estação lenços que respondiam...

— Boa viagem. Regresso breve.

Na nossa classe quase ninguém se moveu. Parecia que ninguém tinha família. Só eu dei adeus a Roberto e ao 98 e a rameira sacudiu a mão dirigindo um cumprimento a todas as pessoas da estação: ricos e pobres, coronéis e carregadores. E sorria sempre.

A cidade começou a desaparecer. Já se conversava na classe. Comentavam um crime que se dera em Itabuna há pouco tempo. O velho ao meu lado dobrou o jornal e falou:

— O homem tá aí, tá condenado.

— Qual homem?

— O senhor não sabe? — e me olhou assombrado. — Pois se até os jornais falam.

— Eu sou novato aqui.

Ele me encarou com desconfiança:

— É flagelado?

— Mais ou menos. Vim de Sergipe procurar trabalho.

— É sergipano? — a rameira me dirigiu a palavra. — Eu sou de Maroim.

— Eu de São Cristóvão.

O velho fitava a mulher com os olhinhos maus. E continuou:

— Pois o assassino será condenado.

— Ah! Sim, o crime. Me conte.

A rameira admirava a paisagem com o cotovelo enterrado em meu ombro. O velho contou entre cuspadelas que sujavam ainda mais a classe. Os outros passageiros ouviam.

— Um crime horrível. O assassino tem mais de setenta anos. Eu conhecia ele muito. Nós trabalhou junto na fazenda do doutô João Silva, lá nos Macacos. Era um homem ruim, o doutô João Silva. Mandava matar por qualquer coisa. Miguel foi seu camarada de confiança.

— Matou muitos, então — quem interrompia era um sujeito baixinho, de cabeça quadrada.

— Não sei, Cearense. Miguel era um home religioso. Todo domingo andava seis léguas para ir à missa em Itabuna. Eu nunca gostei de home que véve metido com saia de padre.

— Isso é negócio de muié — tornou o Cearense.

O velho fitou-o, desconfiado:

— Não sei, Cearense.

— Tem alguma coisa que eu seja cearense? Cearense é gente boa.

— Eu sei. Mas ocê tá me atrapaiando a toda hora. Eu não sei mais onde estou.

A rameira interrompeu:

— Deixa o veio contar...

O velho cuspiu e continuou:

— Pois agora o Miguel tava na fazenda do coroné Chico Arruda, pertim de Itabuna. Ele tinha uma fia, um pedaço de cabrocha! Cada perna...

— O que é isso, veio, você ainda gosta? — e a mulher se dependurava em meu ombro.

— Quer experimentar?

— Nada, veio, você já femiou...

— Femiei o quê, minha fia. Ainda tô machiando pra burro. Sou capaz de te fazê um fio.

A classe toda ria. O Cearense desafiou:

— Isso é que eu duvido, veio. Só se for com a língua.

Eu me meti:

— Conte o caso. Está interessante.

— Pois é... A menina ficou noiva do Filomeno, empreiteiro do coroné. Foram casar em Itabuna. Casaram no civil, mas quando foram pra igreja seu vigário não tava. Voltaram pra roça, Miguel muito aborrecido, dizendo que sua fia tava somente "contratada". E não deixou que ela fosse pra casa do marido. Coisas que os padres meteu na cabeça dele. De noite, a menina procurou o marido nos mato...

— Foi fazer um amorzinho...

— O Miguel desconfiou, foi atrás e quando viu eles pecando matou os dois com uma enxada. Diz que eles não podia se gostar sem o tar casamento no padre. Agora vai comer trinta ano.

— E é pouco — fez a mulher a meu lado —, merecia mais.

— Tudo isso é ignorância — respondi. — Em minha terra os padres dominam tudo.

— Padre dá até azar — afirmou o Cearense.

Um sujeito alto, de cabelo amulatado, com um enorme talho de facão no rosto, se meteu na conversa:

— Padre de verdade é o padre Sabino, lá de Itapira. Vosmecês conhece?

— Conheço muito — declarou o velho.

— Tem doze filhos.

— Diz-que a amásia vira mula sem cabeça...

— Foi ele quem enterrou uma hóstia no braço de Algemiro. Por isso bala não pega nele. Ficou curado.

— Não acredito nisso.

— Feicha a tramela, Sergipano. Você não viu nada como é que não acredita? Você é novato aqui... Eu sou velho, já varei os sessenta e cinco e tenho visto coisa de arrepiar o cabelo.

— O senhor nasceu aqui?

— Não, menino. Eu vim faz trinta anos. Já fui trabalhador de mais de cinquenta fazendeiros... Já fui fazendeiro também. Um dia Mané Frajelo me tomou o que eu tinha. Hoje sou trabalhador de novo. Quando eu vim pra aqui, Itabuna era Tabocas, Pirangi nem existia. Se matava gente como macaco. Esse que tá aqui — o velho cuspia e batia no peito — já tomou três tiros...

— E quantos matou, meu tio? — interrogou o Cearense.
O velho sorriu.

— Vosmecê quer saber muito.

O trem parou na estação de Água-Branca. Molecotes vendiam cocos verdes. Na primeira classe compravam. A rameira comprou um. Começou a sorver a água dando grandes suspiros de satisfação. O trem partiu. A conversa recomeçou. A prostituta se lembrou de oferecer água de coco aos companheiros:

— São servidos?

— Obrigado.

Virou-se para mim:

— E você, filhinho, não quer?

— Muito obrigado.

— Por quê? Beba um pouquinho.

Agora o velho e o Cearense ouviam o passageiro alto com um talho na cara, que contava bravatas, sombrio de gestos e voz soturna.

— Foi um tar de matar gente... Mas o doutô não podia perder as inleição. Eu dormia atravessado na porta do quarto dele com a repetição na mão. Não chegou nem meio home. Isso foi nos bons tempos...

— Hoje não se mata mais ninguém. Tá tudo carmo...

Em Rio do Braço o trem demorava trinta minutos

para a baldeação. Saltamos quase todos. Havia um quiosque onde vendiam café e pão. Os passageiros se agrupavam em torno dele. O velho me ofereceu uma xícara de café. E começou a me interrogar.

— Vai trabalhar pra quem, menino?

— Pra Mané Frajelo.

— Pra aquela miséra? Tá bem arranjado. Quanto ele vai te pagar? Mil e quinhentos réis?

— Não sei. O empregado dele é que vai me dizer.

— Trabalhadô de lá nunca tem saldo. Vicente trabalhou pra ele. Vicente!

Vicente era o tal sujeito de talho na cara.

— Vancê que já foi alugado de Mané Frajelo, que tar acha ele?

— Um fia da puta é que ele é. Trabaiei lá três ano. Quando saí adivinha qual era o meu saldo?

O velho sorria.

— Cinco mil-réis. Pió do que ele só João Vremeio, o tar do despenseiro dele.

O trem apitou. Voltamos às pressas para a classe. O Cearense disse:

— Eu vou trabaiá pro coroné Chico Vieira. Que tar?

— Sempre é mió que Mané Frajelo.

— Eles todos são igual...

A rameira olhava interessada o talho no rosto de Vicente. Ele notou a curiosidade.

— Esse taio, minha fia, foi por causa de uma morena assim como tu. Foi em Itabuna. O sujeito me deu esse taio mas ele foi pro cemitério.

— E você foi preso?

— Qual nada. O doutô nesse tempo tava por cima. O delegado não fez nada comigo.

— Isso aqui parece uma terra amardiçoada. Lá no Ceará me disseram que havia uma dinheirama por aqui...

— Dinheiro houve há uns dois anos. Cacau chegou a quarenta mil-réis. Os coronéis gastavam de verdade. A gente ganhou cinco mil-réis por dia.

— Juntaram dinheiro?

— Quar nada... Subiu tudo: a carne-seca, a farinha, o feijão. Ninguém fazia saldo. Pra gente é a mesma coisa, cacau baixo ou cacau alto. Pros coronéis, sim. Eu até gozo quando o cacau baixa...

O velho voltou-se para o Cearense.

— Você veio do Ceará logo agora que foi uma dinheirama pra lá... Os jornais deram. Eu li. O governo garantia que não havia de morrer fragelado.

— Só Deus sabe. Eles come o dinheiro e nós morre de fome. A gente não viu dinheiro. Minha muié morreu pelo caminho e minha fia ficou na "rua dos Sete pecados mortais".

— Que rua é essa?

— É a rua destas... — e apontava a rameira.

Dizia tudo aquilo estoicamente, resignado, achando quase que natural. Vicente coçou a cabeça:

— Isso é uma merda.

O velho filosofou:

— O mundo é assim mesmo. Eu que estou aqui…

A rameira apertou meu braço e perguntou de chofre no meu ouvido:

— Você quer ouvir a minha história? — e recostou a cabeça em meu peito.

O trem chegava na estação terminal de Sequeiro de Espinho.

O velho e a rapariga tomaram a marinete para Pirangi. Eu, Vicente e o Cearense fomos a pé conversando. Pirangi distava meia légua da estação. Soube que o Cearense ia trabalhar numa roça ali perto e que Vicente vaquejava gado num lugar dez léguas adiante, chamado Baforé. Ele foi todo o caminho contando coisas de Baforé.

— Somos poucos homens lá. Também mulhé é coisa que não existe. Só se a gente quisé dormi com onça. Uma ou outra famia. Calcule vosmecês que um sujeito de uns sessenta anos queria casá com uma menina de nove. Eu que não deixei. Era uma estupidez. Mas o veio, coitado, há cinco anos que não via mulhé.

— Que miséria…

Vicente me olhou sorrindo.

— Qual, rapaz, ocê ainda não viu nada. Vai aprender muito por aqui.

A estrada margeava um braço do rio. Do outro lado apareciam roças. Canoas desciam carregadas de sacos de cacau. Apontei para as árvores dobradas sob o peso dos frutos amarelos:

— Aquilo é que é cacau, não é?

— Você não conhecia?

— Eu também não — declarou o Cearense —, é a primeira vez que vejo.

— Pois eu nasci aqui, sou grapiúna. Vocês todos quando vêm do Norte pensam em se tornar ricos, não é?

— Eu não. Logo que a seca melhore volto pra minha terra.

— E você, Sergipano?

— Sei lá... Eu era operário, agora vou ser trabalhador...

Lembrei-me da frase de Roberto:

— Mas um dia...

— Um dia o quê? Você fica rico?

— Sei lá...

No meio de Pirangi, Vicente me apontou um homem:

— Aquele é Algemiro, o empregado do coronel Misael.

— Vou falar com ele.

— Adeus, Sergipano.

— Adeus, camaradas.

Aproximei-me de Algemiro e me apresentei.

— Foi o coronel que lhe mandou?

— Foi.

— Disse quanto você ia ganhar?

— Não.

— É três mil e quinhentos réis por dia. Serve?

— Serve.

— Você conhece o trabalho?

— Não, eu vim agora de Sergipe.

— É meu patrício. Na roça os outros lhe ensinarão. Lá eu mostrarei o seu trabalho. Você não sabe o caminho, não é? Então vá com Antônio Barriguinha.

— Quem é?

— É o tropeiro. Veio trazer cacau e vai levando carne e feijão para os alugados. Espere aí que eu volto com ele.

Esperei uma boa meia hora até que Algemiro aparecesse com Antônio Barriguinha. E tocamos para a fazenda Fraternidade com vinte e dois burros na nossa frente. Em meio do caminho, Algemiro passou por nós bem montado num burro ruço.

Eu ia indiferente à minha sorte, pensando que talvez Antônio Barriguinha, silencioso e pouco amigueiro, não me oferecesse almoço.

A fazenda ficava a duas léguas e meia de Pirangi. Depois de uma boa marcha vimos as barcaças e a casa-grande com a sua tabuleta:

FAZENDA FRATERNIDADE

Eu tinha uma fome de todos os diabos e me recordava da rameira que fora minha companheira de viagem.

HERÓI DA TOCAIA
E DO CANGAÇO

ANTÔNIO BARRIGUINHA não me deu almoço nesse dia. Deu-me Honório. Eu fui morar com ele numa casa de palha com um único cômodo que servia de quarto, sala e cozinha. Colodino me disse:

— Aqui só a latrina é grande...

E estendeu os braços num gesto que dominava os campos:

— É o mato...

Morávamos quatro na casinha. Honório, gigantesco, os dentes brancos sempre a rirem na boca negra; Colodino, carpina, que estava construindo barcaças para o coronel, e João Grilo, mulato magro, que sabia anedotas.

Olharam para mim sem desconfianças. Honório me ofereceu um pedaço de carne-seca, um pouco de feijão e bagos de jaca. Comemos silenciosos. Depois Colodino afiou a viola e João Grilo puxou conversa:

— Já sabe onde vai trabaiá?

— Não.

— Eu jurgo que é na roça que foi de João Evangelista. Honório trabaia lá.

Eu contei a minha história. Eles não se admiraram. Colodino comentou:

— De vez em quando aparece aqui um sujeito que já foi rico. Aqui no Sul tem muitos sergipanos.

— Você de onde é?

— Sou da Capital. João Grilo é sertanejo e Honório é daqui mesmo, é grapiúna.

Honório mostrava um horrível paletó de mescla.

— Ei! Paletó pra gastá nos cabaré...

— Você vai sábado a Pirangi?

— Se vou...

— Com que quento?

— O coroné arranja.

Fui, de fato, trabalhar com Honório. Éramos muitos na imensidade da roça. As folhas secas dos cacaueiros tapetavam o chão, onde as cobras esquentavam sol após as longas chuvas de junho. Os frutos amarelos pendiam das árvores como lâmpadas antigas. Maravilhosa mistura de cor que tornava tudo belo e irreal, menos o nosso trabalho estafante. Às sete horas já estávamos a derrubar os cocos de cacau, depois de haver afiado nossos facões jacaré, na porta da venda. Às cinco horas da manhã o gole de pinga e o prato de feijão nos davam forças para o trabalho do dia.

Honório me ensinou o serviço. Ficamos bons camaradas naquelas sombras carinhosas dos cacauais, onde o sol não penetrava. Os meus pés começavam a adquirir uma crosta grossa formada pelo mel de cacau que os banhos no ribeirão não tiram e que fazem de calçar uma botina enorme sacrifício. E fui aos poucos sabendo a história daquele preto gigantesco, de olhos mansos de cordeiro, dentes risonhos e grossas mãos de assassino.

Herói da tocaia e do cangaço. Estava explicado por que, apesar de Honório dever novecentos mil-réis à despensa, o coronel não o botava para fora e ainda lhe fornecia dinheiro para as cachaçadas em Pirangi.

Filho da terra, nascera nos bons tempos das fortunas rápidas e dos assassinatos por qualquer coisa. Educara-se entre tiroteios e mortes. O pai respondera a júri algumas vezes e terminou morto a machado. Aos doze anos Honório já matava gente com a mais certeira pontaria de dez léguas em redor. Criou-se assim. Quantos matara, não sabia. Viera depois o saneamento das roças de cacau.

As mortes diminuíram, mas, que esperança!, não acabaram. E ainda hoje as estradas vivem pejadas de cruzes sem nomes. É a tocaia. Pela noite sem lua o viajante vem do povoado. A goiabeira solitária no caminho esconde o homem e a repetição. É um tiro só. O corpo cai. O que atirou vai dizer ao que mandou que o serviço está feito e receber os cem mil-réis prometidos. No outro dia o corpo é encontrado e enterrado ali mesmo. E tudo continua sem novidade.

Honório era técnico em tocaias e o coronel Misael tinha inúmeros inimigos... Não sei se o coronel sentia remorsos. Honório, não. Tinha a consciência limpa e clara como a água da fonte. Era bom camarada e nós o estimávamos muito.

Sabia histórias de fortunas e de misérias. E nos contava pelas noites de lua e cachaça casos misteriosos que a justiça nunca soubera. Preguiçoso, raro o dia que Algemiro não reclamava com ele. Honório olhava-o com os olhos mansos:

— Tenho uma sede nesse sujeito...

Fazia barulhos tremendos nas casas das rameiras de Pirangi. Gabava-se de não pagar mulher. Mas quando a gente estava sem saldo ele ia ao coronel, o facão jacaré na mão, e pedia, com voz súplice, quento. O coronel gritava, chamava-o de mandrião, mas Honório nunca voltou de mãos limpas.

João Vermelho, o despenseiro, temia-o. Um dia se negara a despachar o saco de Honório, dizendo que eram ordens do coronel que estava na cidade. O preto não se alterou. Pulou o balcão da vendola e pesou ele mesmo o seu feijão e a sua carne. E depois torceu com as suas tremendas mãos pretas o alvo e afilado nariz de João Vermelho. Nós ríamos como perdidos.

Honório sabia cantar também. E de noite a sua voz enchia o silêncio, acompanhada pela viola de Colodino.

Falava-se nas raparigas de Pirangi. Quase todos os trabalhadores tinham o seu xodó. Alguns casavam no religioso, outros se amigavam, o que era muito mais comum. Legiões de filhos ajudavam os pais nas roças. Raros sabiam ler. Instrução mesmo só tínhamos eu e Colodino que andara pela escola e lia e escrevia para todo o pessoal.

Honório há vários anos andava às voltas com a carta de abc, mas não conseguiu passar das vogais. Ele queria saber ler para comprar as histórias em versos de Lucas da Feira, João do Telhado e Lampião. João Grilo, a quem se chamava de doutor, sabia essas histórias e as recitava para o nosso encanto. Honório pretendia ainda saber o abc. Colodino bancava o professor. Mas aquilo não entrava na cabeça do gigante.

João Grilo, mulatíssimo, chalaceava:

— Isso é porque você é negro, Honório. Nós branco é que sabe... Eu, doutor João Nabuco da Silveira Nascimento, vulgo João Grilo...

— E você o que é, moleque?

— Mas sou branco, que dúvida. Se eu fosse preto um minuto só, me suicidava com uma corda.

Honório ria alto e Colodino gemia na viola saudades de outras terras e de morenas de vestidos de chita.

Nove horas da noite o silêncio enchia tudo e a gente se estirava nas tábuas que serviam de cama e dormíamos um sono só, sem sonhos e sem esperanças. Sabíamos que no outro dia continuaríamos a colher cacau para ganhar três mil e quinhentos que a despensa nos levaria. Aos sábados íamos a Pirangi pôr o sexo em dia. Alguns levavam meses sem sair da fazenda e se satisfaziam nas éguas da tropa. Mineira, a madrinha da tropa, era viciada e disputada. Os meninos desde garotos se exercitavam nas cabras e ovelhas.

Ninguém reclamava. Tudo estava certo. A gente vivia quase fora do mundo e a nossa miséria não interessava a ninguém. A gente ia vivendo por viver. Só muito de longe surgia a ideia de que um dia aquilo podia mudar. Como, não sabíamos. Nós todos não poderíamos chegar a fazendeiros. Em mil, um enriquecia. Na fazenda Fraternidade só Algemiro conseguira alguma coisa. O coronel comprara para ele uma roça que valia uns trinta contos e que ele pagava com as safras. Como havíamos pois de sair daquela situação de miséria? Pensávamos nisso às vezes. Colodino principalmente.

Honório afirmava:

— Um dia eu mato esses coronéis todos e a gente divide isso.

Nós ríamos. E não sei por que a riqueza não nos tentava muito. Nós queríamos um pouco mais de conforto para a nossa bem grande miséria. Mais animais do que homens, tínhamos um vocabulário reduzidíssimo onde os palavrões imperavam. Eu, naquele tempo, como os outros trabalhadores, nada sabia das lutas de classe. Mas adivinhávamos qualquer coisa.

E pensávamos na fórmula de Honório até que chegava o sábado e a gente ia a Pirangi.

PIRANGI

JOÃO GRILO TROUXE O ANÚNCIO, que foi lido por mim em voz alta:

Desperta, mocidade alegre!
No pitoresco arraial de Pirangi onde é localizada
a casa de diversões
CINE ALIANÇA
chamamos atenção a fim de abrilhantar as festas
que, o simpatizado Cordão Carnavalesco
Bacuraus em Folia vai exibir: Um Piquenique
e Baile ao Ar Livre, 2$000, para lotação
completa conforme convite.
À tarde, Leilão, Quermesse e Roskof, sendo exibido
estas diversões desde pela manhã, à noite
será focalizado o filme non plus ultra

ÁGUIAS MODERNAS

O serviço de bar e buffet será irrepreensível,
deveis notar que pela manhã do dia 6
apresentar-se-á num caminhão, dando anúncio ao
folguedo, senhorinhas e a afinada orquestra a
fim de dar êxito e sucesso do festival.
Chamamos atenção aos que desejam com suas
presenças abrilhantar esta festa, poderá procurar
o automóvel nº 51 que estará à disposição ao
alcance de toda bolsa.
Esperamos ver flores, música e risos

Quando eu acabei de ler Honório gritou:

— Ei! Vou estreiá meu paletó...

Combinamos ir, uma turma grande. Eu, Honório, Antônio Barriguinha, João Grilo, Nilo, João Vermelho e vários outros. Colodino iria também e levaria a noiva, Magnólia, a morena mais bonita da zona.

Colodino há muito que trabalhava na construção das barcaças da fazenda. Ali conhecera Magnólia, filha de d. Júlia, uma velha de cinquenta anos. Eram ambas alugadas da fazenda para a juntagem do cacau. Magnólia era bonita, sim. Não como essas roceiras heroínas de romances de escritores que nunca visitaram uma roça. Mãos calosas e pés grandes. Ninguém que trabalhe numa fazenda de cacau tem os pés pequenos. Seios fartos que muitas vezes apareciam sob os rasgões do vestido velho. Mas a gente não ligava. Noiva de Colodino, nós a respeitávamos. Um pouco envelhecida talvez para os seus vinte anos. Mas Colodino a amava e cantava no violão improvisos dedicados a Magnólia. Às vezes, à noite, a gente dava um pulo até a casa da velha Júlia para beber um trago de cachaça e dar um dedo de prosa. Não pensem que Magnólia conversava bem. Isso é coisa que não existe na roça. Ela sabia palavrões e os soltava a cada momento. Apesar disso e de tomar banho nua no ribeirão, nunca deu confiança para ninguém e Colodino seria feliz com ela sem dúvida.

Mas nas fazendas de cacau há sempre uma coisa que se chama o filho do coronel, que é estudante na Bahia, é ignorante e estúpido.

Mané Frajelo tinha um filho também, o Osório, que vagabundava pela escola de direito há alguns anos…

Pirangi é uma rua única de uns dois quilômetros. A casa de diversões Cine Aliança localizava-se bem no centro do arraial. Lá estavam armadas as barracas para o leilão e para a quermesse. Muita gente do povoado e das fazendas vizinhas. Árabes do comércio local *trocavam* língua. Meninas de Pirangi e moças da roça, os olhos baixos e vestidos fora da moda. As faces imitando as das damas de alta sociedade, horrivelmente pintadas. A orquestra, grupo de negros, alegrava desafinadamente os assistentes. Um fotógrafo ambulante tirava retratos em quinze minutos.

Comentava-se a vinda do cordão carnavalesco Bacuraus em Folia. Alguns diziam que o cordão não sairia mais. Houvera briga na diretoria. Outros não acreditavam. Discutiam entre palavrões e risadas.

— Isso aqui é uma esculhambação. É capaz dos Bacuraus não vim mesmo.

— Mas se não vim eu quero meus dois mil-réis.

Passavam trabalhadores. Adivinhava-se o revólver por baixo do casaco. Rara festa não terminava em barulho. Os quatro soldados que policiavam o povoado representavam bem a ordem brasileira. Bebiam mais que ninguém e davam beliscões nas mulatas.

— Me deixa; deixa de sê besta.

— Vem cá, minha fia, não seja má.

— Comigo não, te esconjuro, satanás.

— Sou um santo, meu bem.

— Vá amolá a mãe...

— Burra... Estrupício...

E os beliscões e as piadas continuavam. Fumavam charutos de cinquenta réis e enchiam o ar com os ruídos das gargalhadas.

As famílias dos médicos e comerciantes ricos sentavam-se isoladas em cadeiras postas nas calçadas. Havia para a sociedade baile em casa do dr. Domingos, farmacêutico. Mas só começava às dez horas e os ricos queriam primeiro desfrutar a festa dos pobres.

Comprava-se convite para o baile ao ar livre e para o cinema. De quando em vez um começo de barulho com gritos e correrias que os menos bêbados desapartavam.

Quando nós chegamos o leilão começava. Colodino arrematou uma boneca loira para Magnólia. Seu José Rodrigues se esganiçava em cima de uma banca:

— Quem dá mais? Quem dá mais? Oito mil-réis por uma boneca que até fecha os olhos é muito pouco... Quem dá mais?

Ninguém dava mais. Colodino ficou com a boneca e pagou em notas velhas de dez tostões, rasgadas e coladas com sabão.

Os Bacuraus em Folia chegaram e todo o pessoal cercou o cordão. Eles dançavam e cantavam e o baliza realizava prodígios de dança com a bandeira. Os presentes cantavam em coro o estribilho:

Eh! Vamos brincar...
Eh! Vamos brincar...

João Grilo distribuía beliscões a torto e direito em meio à aglomeração. Uma velha reclamou:

— Beliscaram minha bunda...

— Sai daí, couro.

— Sem-vergonha.

— Bruaca.

Eh! Vamos brincar...
Eh! Vamos brincar...

O baliza parecia atuado por um espírito. Dançava ritos africanos que trazia de herança na massa do sangue. Abaixava-se todo com a bandeira e de repente levantava-se nas pontas dos pés, que mal tocavam no chão. Não via ninguém, todo possuído pela dança. O Congo, os desertos, as noites com rugidos de feras, Orixalá, quanta coisa naquela dança...

A orquestra parou. Gritaram:

— Viva os Bacuraus em Folia!

— Vivaaa...

E o cordão saiu para visitar as casas dos ricos, onde havia bebidas e doces. O pessoal voltou a passear, esperando a hora do cinema e do baile. Algumas pessoas acompanharam os Bacuraus. Honório foi tomar uma cerveja no bar do seu Isaac, bar que funcionava das dez em diante como cabaré.

Honório vestiu o tão falado paletó de mescla azul.

Uma gravata feita de fita de chapéu e umas enormes botinas que apesar disso deram um incrível trabalho para serem calçadas. Demorava-se agora na porta de uma casa a conversar com uma rameira conhecida. Quando voltou impava de orgulho:

— A Mariazinha me convidou pra dormir com ela hoje.

— Bom proveito... Ela me botou um corrimento...

— Você tá é despeitado, João Grilo, porque ela chamou foi o degas. Você já teve xodó por ela.

— Eu, vê lá... Por aquela vaca? Ela sim é que fez feitiço pra me pegar.

Em resposta Honório ria às gargalhadas.

— Você pensa que é mentira? Pergunte a Antônio Barriguinha... Ele viu o despacho. Azeite de dendê, cabelo de sovaco e farinha...

— Deixa de prosa, mulato besta.

— Tu vai ver os resultado, negro burro.

Mariazinha podia ter dezoito anos, mulata nova. Mas entre ela e a Zefa, velha de cinquenta, não havia diferença. A mesma cara gasta e as mesmas pernas cheias de feridas.

O cinema encheu. Tinha gente em pé como quê. Se a gente não estivesse acostumado com pulgas e percevejos nem olhava a fita. Assim mesmo a gente se coçava muito. Nós ocupamos uma fila quase toda. Só restou um lugar onde um soldado se sentou bem ao lado de

Magnólia. Os garotos impacientes começaram a bater nas cadeiras. Daí a pouco fazia-se um barulho imenso. Afinal o filme, todo arrebentado, começou. E os olhos daquela humanidade se extasiavam ante o luxo de Nova York. Honório não gostava:

— Não gosto de cinema. Gosto de circo.

João Grilo replicava:

— Você não nega que é negro. Pois eu gosto. Isso é feito nas Oropas.

— Coisa das estranjas...

E Honório esticava o beiço num gesto de pouco-caso. Depois interrogava:

— Como é que eles anda?

— Ô nego burro. Tu não vê que tem um home lá atrás do pano e que é a sombra dele que aparece?

Magnólia agitava-se na cadeira, inquieta. Colodino perguntou o que se passava com ela. Não era nada, respondeu sem querer confessar que o soldado tentava boliná-la. Mas o soldado continuou. E Magnólia acabou dizendo:

— Oi, Colodino, esse sordado tá me aparpando.

Colodino levantou-se e tocou no soldado.

— Você pensa que tá bulinando muié de fêmea, fia da puta?

O bofetão estalou. O soldado caiu por cima da cadeira. Levantou-se meio bambo, puxando o sabre:

— Eu te ensino, cachorro, a arrespeitar a autoridade...

— Xibungo.

Honório derrubava o soldado com um soco. Arrastaram para fora. Homens trepavam pelas cadeiras para ver o barulho. O outro soldado se aproximou de Colodino:

— Teje preso.

— Não vou.

— O senhor desarrespeitou um sordado de polícia.

— Ele tava querendo bulinar minha noiva.

Honório se aproximou:

— Tava bebo! E agora o que é que tem?

O soldado achou mais prudente ir embora. E a fita recomeçou.

Fomos olhar a festa do dr. Domingos. O sereno entupido de gente. Trabalhadores e moças pobres. Alguns empregados do comércio que não tinham sido convidados, enfiados na roupinha branca, esperavam conseguir penetrar. Olhavam súplices e invejosos os que dançavam. Luz elétrica só havia no cinema e no bar. A casa do seu dr. Domingos estava iluminada a querosene. Tanta luz que doía nos olhos. Um piano alemão deixava-se tocar por uma lânguida donzela que pedia marido. Lisa como uma tábua, entrara há muito na casa dos trinta. Afirmava, porém, com uma vozinha assexuada, que completaria vinte e três em agosto. Esperava um noivo e enquanto ele não vinha tocava piano nas festas do arraial. De quando em vez um rapaz compadecido ia tirá-la para dançar. Ela caía por cima do cavalheiro e se deixava levar, os olhos fechados, pensando sem dúvida em muita coisa feia.

Professora pública do arraial, espancava os raros meninos que frequentavam a escola e ficava todo o tempo a sorrir para os rapazes que passavam. A garotada a odiava. Puseram-lhe o apelido de "Miss Espeto". Acho que ela daria o que lhe restava de vida para dormir uma noite com um homem.

Algemiro também dançava. E principalmente esvaziava copos sobre copos de chope. O capataz amava aquelas festas de gente rica e inchava de vaidade porque tratavam-no bem. Fora trabalhador como nós e não sabia ler. Há catorze anos que trabalhava para Mané Frajelo. Conseguira comprar uma roça por trinta contos. O coronel emprestara o dinheiro sob hipoteca das safras. Toda a sua ambição resumia-se em enriquecer. Nós odiávamos o coronel. A Algemiro desprezávamos. Sentíamos que ele não era dos nossos. Eu, descendente de família rica, estava mais perto dos trabalhadores do que ele que vinha de gerações e gerações de escravos. Sarará, os cabelos louros e crespos, a roupa azul de casimira, todo curvaturas e sorrisos, ria encantado das conversas daqueles burgueses. Nós do sereno sorríamos com desprezo. Abriram garrafas de champanhe na sala de jantar. Pararam as danças e os pares correram para o assalto. Honório cuspiu cá fora:

— Eu prefiro um gole de murici.

E fomos beber.

Colodino e Magnólia despediram-se e tomaram o caminho da fazenda. Nós outros fomos para o cabaré. O anúncio do cabaré dizia "luzes, flores e mulheres". Duas lâmpadas elétricas, umas raras e pobres flores artificiais e as quinze ou vinte rameiras da localidade. Homens embriagados e muita cachaça. Um jazz infame. Mas a gente achava ótimo. Num compartimento, separado do resto da casa por um tabique, jogava-se roleta. Atrás do balcão seu Isaac dominava a freguesia. Sabia quanto cada um dos fregueses podia beber. E quando calculava que o dinheiro de alguém só dava para pagar o que já bebera, mandava que os empregados não o servissem mais. Seu Isaac nunca errava no cálculo. O camarada podia morrer de chamar pelos empregados. Eles não ouviam. Esse negócio de fiar não ia com seu Isaac...

Mariazinha chegou com outra prostituta e sentou-se na nossa banca.

— Paga uma cerveja pra mim, Honório.

— Tô limpo, minha fia.

— Não seja besta, pague.

Honório pagava. A outra mulher perguntava-me se eu não a conhecia. Como não me recordasse, ela lembrou:

— Eu viajei com você, filhinho, para aqui.

— Ah! já sei...

— Tinha me esquecido, não é?

— Nunca mais vi você.

— Tem trabalhado muito?

— Um pedaço...

— Hoje veio gastar o saldo...

— É... E você tem gostado daqui?

— Assim... assim... Come-se...

— Já é alguma coisa.

— Em Sergipe não dá pra comer.

Ela passava as mãos pelos meus cabelos louros:

— Você é de boa família, não é?

— Sou alugado de Mané Frajelo.

— Deixe de orgulho. Eu também sou de boa família. Minhas irmãs são todas casadas. Tenho dois irmãos formados: um médico e um advogado. Meu pai...

Olhava para o fundo do copo de cerveja e virou-o de um trago.

— Deus me defenda que minha família saiba que eu sou mulher da vida. Minha mãe morria.

— Como foi?

— Eu casei. Ele era viajante. Me deixou na Bahia. Morei muito tempo lá. Corri depois as cidades do Recôncavo... Agora estou aqui.

— Nunca mais viu seu marido?

— Não. Felizmente.

— Essa vida…

Ela bebeu meu copo de cerveja. Levava uma cruz de pedras falsas sobre o colo:

— Meu presente de noivado.

— Essa vida…

— Vamos dançar?

— Vamos.

Honório escondia os lábios morenos de Mariazinha entre seus lábios pretos.

Fomos para a casa das mulheres sob uma chuva miudinha. Quando entrei no quarto, Antonieta me disse:

— Meu filho, não posso andar com você. Prefiro não ganhar o dinheiro. Eu te pegaria doença. Já tô quase boa, mas assim mesmo…

RUA DA LAMA

PELA MANHÃ, ANTONIETA mostrou-me um bilhete da lavadeira.

D. Antonieta:
Recado da Lavadeira, peço a senhora o favor de me arranjar o dinheiro que estou precisando muito, a senhora tenha paciência de me mandar, porque eu já esperei 1 mês a senhora desculpe de eu mandar cobrar, mas a senhora sabe que eu sou pobre, e preciso.
Madalena

— Quanto é?
— Três mil-réis.
Dei-lhe os meus últimos cinco mil-réis.
— Obrigado, filhinho, quando eu ficar boa de todo, você será o meu xodó. É a primeira pessoa de coração que eu encontro aqui pelo Sul.

Eu lavava a cara e depois Antonieta penteou meus cabelos encaracolados.

Além da tal rua de dois quilômetros, existia em Pirangi um beco sem saída, ao qual chamavam com razão de "rua da Lama". Apesar do lamaçal, as senhoras casadas temiam aquela rua de mulheres perdidas.

— A polícia devia proibir aquilo — diziam.

— Ora, a polícia é a primeira.

— É mesmo, d. Rosália. Os nossos maridos vão gastar com aquelas misérias, Deus me perdoe, tudo que ganham.

— E eu que preciso de um chapéu e um vestido... Manoel só faz prometer. Eu acho que ele dá o dinheiro a essas pestes.

— Elas arrancam...

— Mas Deus castiga, d. Rosália, Deus castiga.

Zilda era uma mulatinha clara, olhos grandes de criança que nada sabe da vida. Na hora do café eu a conheci. Estava na vida desde os onze anos. Morava naquela casinha com Antonieta, Mariazinha e Zefa. Sobre o seu corpo apenas um vestido, grávido de rasgões. Quase não tinha seios a pobre criança. Tomava o café maquinalmente, sem falar. João Grilo, que dormira com ela, beijava-a. Ela se deixava beijar sem revolta, naturalmente. Aquilo fazia parte da profissão. E ela, com treze anos apenas, conhecia muito bem a profissão.

— Quantos anos você tem, menina?

— Treze.

— Só?

— Faço depois de amanhã.

— Quem foi?

— O filho do coronel Misael...

— Quantos anos você tinha?

— Ia fazer onze.

— E já era mulher?

— Ainda não.

Zefa me contou toda a história. Filha do velho Ascenço, Zilda constituía toda sua família. Trabalhavam para Mané Frajelo, ele na derruba, ela na juntagem do cacau. Moravam na beira da estrada. Todo ano, Osório, o filho do coronel, que estudava na Bahia, vinha pelas férias até a roça. O velho Ascenço da porta da casa cumprimentava-o e perguntava pelos seus estudos:

— Como vai, coronezinho, da sua leitura?

O estudante parava o burro para olhar as coxas de Zilda, bem grossas apesar de dez anos. Um dia Osório vinha para o povoado. O velho Ascenço estava em Pirangi e Zilda arrumava a casa. Começou a chover e Osório pediu agasalho. Não respeitou os dez anos de Zilda. Tragédia de gente pobre: um pai que bota a filha para fora de casa e morre de desgosto.

— E a tola ainda gosta do miserável.

Zilda confessava:

— Gosto, que jeito. Ele é tão bonitinho. Quando ele vim esse ano há de dormir comigo...

O suicídio de Zilda foi uma das coisas que mais me comoveram durante a minha demora no sul da Bahia. Quando ela soube que o futuro doutor vinha passar o são-joão na roça, comprou um vestido novo com as suas economias e uma caixa de ruge.

Vestida de novo e muito pintada, esperou-o no meio da estrada. Ele passou sem ligar a ela. Mas à noite veio ao povoado e foi à rua da Lama. Zilda falou:

— Osório...

— Quem é você?

— Zilda.

— Qual Zilda?

— Você me descabaçou na fazenda de seu pai.

— Como você está feia... Está um couro, puxa...

E foi dormir com Antonieta.

No outro dia Zilda bebeu veneno. As rameiras fizeram uma subscrição para enterrá-la, pois ela gastara as economias no vestido novo. Quando o enterro passou, pobre caixão mal pintado, Osório atravessava o povoado a cavalo.

— De quem é esse enterro?

— De Zilda.

— Morreu?

— Matou-se.

— Que seja feliz no inferno...

D. Rosália não acreditava que prostituta se suicidasse por amor. Prostituta se mata para castigo dos seus pecados, amém.

Nunca pude compreender por que os prostíbulos vivem cheios de quadros e estatuetas de santos. Na rua da Lama era assim. A imagem de Nosso Senhor do Bonfim, todas as casas a possuíam. Antonieta antes de deitar com um macho rezava. Acreditavam em feitiço e faziam promessas. Maldiziam a vida que levavam e no entanto agradeciam todo dia ao Criador o haverem nascido. Frei Bento falava contra elas nos sermões dos domingos. Mas frei Bento, como Zefa me explicou, era freguês da esposa do dr. Renato.

Pobres mulheres, que choravam, rezavam e se embriagavam na rua da Lama. Pobres operárias do sexo. Quando chegará o dia da vossa libertação?

Quantos mananciais de carinho perdidos, quantas boas mães e boas trabalhadoras. Pobres de vós a quem as senhoras casadas não dão direito nem ao reino do céu. Mas os ricos não se envergonham da prostituição. Contentam-se em desprezar as infelizes. Esquecem-se de que foram eles que as lançaram ali.

Eu fico pensando no dia em que a rua da Lama se levantar, despedaçar as imagens dos santos, tomar conta das cozinhas ricas. Nesse dia até filhos elas poderão ter.

CACAU

NO SUL DA BAHIA CACAU É O único nome que soa bem. As roças são belas quando carregadas de frutos amarelos. Todo princípio de ano os coronéis olham o horizonte e fazem as previsões sobre o tempo e sobre a safra. E vêm então as "empreitadas" com os trabalhadores. A "empreitada", espécie de contrato para colheita de uma roça, faz-se em geral com os trabalhadores que, casados, possuem mulher e filhos. Eles se obrigam a colher toda uma roça e podem alugar trabalhadores para ajudá-los. Outros trabalhadores, aqueles que são sozinhos, ficam no serviço avulso. Trabalham por dia e trabalham em tudo. Na derruba, na juntagem, no cocho e nas barcaças. Esses formavam uma grande maioria. Tínhamos três mil e quinhentos por dia de trabalho, mas nos bons tempos chegaram a pagar cinco mil-réis.

Partíamos pela manhã com as compridas varas, no alto das quais uma pequena foice brilhava ao sol. E nos internávamos cacauais adentro para a colheita. Na roça que fora de João Evangelista, uma das melhores da fazenda, trabalhava um grupo grande. Eu, Honório, Nilo, Valentim e uns seis mais colhíamos. Magnólia, a velha Júlia, Simeão, Rita, João Grilo e outros juntavam e partiam os cocos. Ficavam aqueles montes de caroços brancos de onde o mel escorria. Nós da colheita nos afastávamos uns dos outros e mal trocávamos algumas palavras. Os da juntagem conversavam e riam. A tropa de cacau mole chegava e enchia os caçuás. O cacau era levado para o cocho para os três dias de fermento. Nós tínhamos que dançar sobre os caroços pegajosos e o mel aderia aos nossos pés. Mel que resistia aos banhos e ao sabão massa. Depois, livre do mel, o cacau secava ao sol, estendido nas barcaças. Ali também dançávamos sobre ele e cantávamos. Os nossos pés ficavam espalhados, os dedos abertos. No fim de oito dias os caroços de cacau estavam negros e cheiravam a chocolate. Antônio Barriguinha, então, conduzia sacos e mais sacos para Pirangi, tropas de quarenta a cinquenta burros. A maioria dos alugados e empreiteiros só conhecia do chocolate aquele cheiro parecido que o cacau tem.

Quando chegava o meio-dia (o sol fazia de relógio), nós parávamos o trabalho e nos reuníamos ao pessoal da juntagem para a refeição. Comíamos o pedaço de carne-seca e o feijão cozido desde pela manhã e a garrafa de cachaça corria de mão em mão.

Estalava-se a língua e cuspia-se um cuspe grosso. Ficávamos conversando sem ligar para as cobras que passavam, produzindo ruídos estranhos nas folhas secas que tapetavam completamente o solo. Valentim sabia histórias engraçadas, e contava para a gente. Velho de mais de setenta anos, trabalhava como poucos e bebia como ninguém. Interpretava a Bíblia a seu modo, inteiramente diverso dos católicos e protestantes. Um dia contou-nos o capítulo de Caim e Abel:

— Vosmecês não sabe? Pois tá nos livros...

— Conte, veio.

— Deus deu de herança a Caim e Abel uma roça de cacau pra eles dividirem. Caim, que era home mau, dividiu a fazenda em três pedaço. E disse a Abel: esse premero pedaço é meu. Esse do meio, meu e seu. O último, meu também. Abel respondeu: não faça isso, meu irmãozinho, que é uma dor do coração... Caim riu: ah! é uma dor do coração? Pois então tome. Puxou do revólver e — pum — matou Abel com um tiro só. Isso já foi há muitos anos...

— Caim deve ser avô de Mané Frajelo.

— Nada. A avó de Mané Frajelo era a rapariga do Pontal.

— Você sabe, Honório?

— Sei. A mãe morreu de fome quando não pôde mais trepar com home. O fio nem aí...

— Miserave.

— Mas ele tinha vregonha da mãe.

— Mãe dele...

Jaca e banana, nossas únicas e invariáveis sobremesas. Não conhecíamos outra. Quando acabava o almoço, João Grilo trepava na jaqueira e derrubava as maduras. Comíamos à mão, os dedos cheios de visgo. As mulheres preferiam jaca dura. Nós, homens, atolávamos os dedos nas moles, João Grilo, com toda a magreza, comia por vários. Batera o recorde comendo certo dia cento e dois bagos. Isso corria pelas roças como lenda. Mas João Grilo sentia-se capaz de renovar a proeza.

Algemiro passava sempre montado em Carbonato, seu burro predileto, a inspecionar os trabalhadores. Reclamava se o serviço estava demorado.

— Isso tá andando devagar... Vocês parecem lesmas.

Honório replicava com a cara fechada:

— Você já se esqueceu que o serviço é duro? Quando você era trabalhador andava mais depressa?

Algemiro não gostava que lhe recordassem aquele tempo. Tocava burro:

— Não quero muita prosa. É trabalhar...

A derruba continuava. Os cocos caíam com um baque surdo: pam-pam. Honório cantava canções de macumba:

Eu sou caboquinho
Eu só visto pena
Eu só vim em terra
Pra bebê jurema.

A voz se perdia nos cacauais. O baque monótono dos cocos acompanhava a cantiga como negros batendo nos urucungos:

Pam-pam-pam
Pra bebê jurema.
Pra bebê jurema.

Sombra. Muita sombra. O vento quando sacudia as árvores fazia cair pingos d'água nos nossos ombros nus. Estremecíamos. João Grilo perpetrou certa vez um trocadilho, um dos grandes orgulhos da sua vida de mulato pachola:

— Pra esses pingos só uma pinga… — e virou a garrafa.

Honório, enquanto derrubava, procurava seu ideal:

Eu quero uma morena
Que seja bonita
Que seja bonita
De laço de fita.

A morena não aparecia.

Eu quero uma viúva
Que seja rica
Que seja rica
E toda estica.

Mas nem a morena nem a viúva apareciam. Magnólia sorria às canções, os olhos perdidos ao longe, assim mesmo as mãos trabalhando, o pedaço de facão partindo os cocos. Está se lembrando de Colodino, pensávamos nós. E nas nossas vidas sem amor (existe lá amor nas fazendas de cacau...) tínhamos momentos de nostalgia. O amor teria sido feito somente para os ricos? Honório dizia alto o que dizíamos para nós mesmos:

— Merda de vida.

As barcaças compridas e largas davam a ideia de um grupo de feras com as bocas escancaradas, que dormissem ao sol. Os caroços secavam. Nós, duas vezes por dia, dançávamos sobre eles, uma dança na qual só os pés se moviam. O sol queimava os ombros nus. O cocho, ao fundo, retângulo sujo, por cujas frestas escorria um líquido viscoso, parecia uma ratoeira. E dominando tudo, a estufa, onde o cacau secava nos dias de chuva à força de fogo, com seu forno alto.

Quando chovia corríamos as coberturas de zinco sobre as barcaças. E em junho e julho quase todo o cacau ia para a estufa, pois os dias de sol rareavam.

A estufa nos engolia um a um e trabalhávamos debaixo de um calor infernal. O inferno, mesmo o da descrição dos padres alemães de São Cristóvão, não podia ser pior. Suávamos como condenados e quando saíamos dali, as calças "porta de loja" encharcadas, caíamos no ribeirão.

Uma vez, porém, João Amaro, após o trabalho na estufa, chupou uma melancia. Nós fizemos sentinela ao cadáver toda a noite. E começamos a temer a estufa como um inimigo poderoso. João Amaro deixou mulher e três filhas. A velha e duas das filhas caíram na vida. A outra foi morar com Simeão sem bênçãos desnecessárias de juiz e padre.

Nós conversávamos à tarde, em frente à despensa, enquanto amolávamos os facões. Algemiro saltou do burro:

— Deoclécio!

O barcaceiro perguntou:

— Que é?

— Recebi carta do coronel.

— ...

— Na última leva foram trinta arrobas good.

— Good? Das minhas barcaças só saiu superior.

— Entonce foi das barcaças do Zé Luís.

— Só se foi.

— O coronel mandou despedir o barcaceiro.

— Hoje é dia de saco. Zé Luís vem aqui...

Zé Luís trabalhava nas mais distantes roças da fazenda. Tomava conta das barcaças e cometera um crime imperdoável para os coronéis: deixara mofar trinta arrobas de cacau. O cacau good vendia-se dois mil-réis mais barato a arroba. Zé Luís bebia muito e sofria um impaludismo crônico. Mas nem a cachaça nem a maleita o impediam de trabalhar. Ambas faziam parte da vida.

Quando ele chegou nós o olhamos quase com tristeza. Algemiro avisou-o:

— Você tá despedido, Zé Luís.

— Por quê?

— Trinta arrobas de cacau deu good.

— E que culpa tenho? Desgraçou pra chover. O coronel queria o cacau às pressas...

— São ordens. João Vermelho!

O despenseiro aparecia:

— O que é?

— Já fez as contas do Zé Luís?

— Já.

— Tem saldo?

— Dezoito mil-réis.

Zé Luís resignava-se:

— Tá certo. Passe o quento que eu vou procurar trabalho noutra parte.

— Não senhor — Algemiro protestou —, você vai pagar o prejuízo do coronel. Dois mil-réis por arroba. São trinta arrobas. Quanto é, João Vermelho?

— Sessenta mil-réis.

— Você vai trabalhar na roça até pagar.

— O quê? Pagar uma bosta...

— É o jeito.

— E com que como?

— Coma banana...

— Eu não sou escravo.

— Dê seu jeito.

— Vou embora e quero meu saldo.

— Não se paga.

À noite, sem saldo, Zé Luís fugiu. Algemiro e João Vermelho foram no rasto, bem montados, tomaram-lhe o facão e a trouxa de roupa e correu pela fazenda que o haviam surrado. Também correu que foi Zé Luís quem atirou em Algemiro numa noite sem lua, no caminho de Pirangi.

Sinhá Margarida vendia caldo de cana e uma cachaça esverdeada (dentro da garrafa havia uma cruz), no meio da estrada. Casinha tosca de palha. Os cinco filhos pequenos corriam pelos matos, nus, os rostos picados de cicatrizes dos espinhos. Não sei por que o coronel tolerava aquele pequeno comércio de sinhá Margarida dentro da fazenda. Acabada pelos desgostos ela aparentava cinquenta anos, porém penso que mal fizera os trinta. A história de sinhá Margarida seria chamada pelos escritores de horrorosa tragédia, se escritores viessem às roças de cacau.

O marido, condenado a dezoito anos, penava numa cadeia.

História simples do sul do estado. Vieram do Ceará há muito tempo. O marido fora ser contratista do coronel Henrique Silva, em Palestina. Modalidade interessante de trabalhador, o contratista. A fazenda contrata com um chefe de família a derrubada de uma mata e o plantio, no terreno, de uma roça. O contratista fica dono do terreno durante os dois ou três anos do contrato. Planta mandioca e legumes, com que vive. E no fim do contrato o patrão paga a quinhentos ou oitocentos réis o cacaueiro.

Osvaldo, marido de sinhá Margarida, fizera um negócio destes com o coronel Henrique Silva. Findo o prazo tratou de receber o seu dinheiro. O coronel não pagou. Ele foi a Ilhéus umas três vezes reclamar à autoridade. O delegado, na última, respondeu:

— Isso até parece briga de mulheres. Resolva isso como homem.

Osvaldo voltou, e, à noite, matou o coronel a facão. O promotor fez uma literatura bonita citando a Bíblia e recitando versos. O advogado de defesa (não estava recebendo nada) nem se esforçou. O conselho de sentença, composto de fazendeiros, condenou o réu a dezoito anos, para dar exemplo. A mulher e os filhos vieram vê-lo na cadeia. Ele chorou pela primeira vez na vida. E amaldiçoou o cacau.

Sinhá Margarida andara ao léu. Acabara na fazenda Fraternidade a vender caldo de cana. Os filhos já ajudavam os trabalhadores na juntagem, ganhando quinhentos réis por dia. Apesar de odiar o cacau, temia voltar para o Ceará com a seca. Ali, pelo menos, ela e os filhos comiam. Jaca havia com fartura.

A fazenda do coronel Misael, a maior do estado, ocupava uma área imensa. A nossa casa e mais umas trinta ficavam na sede da fazenda, mas algumas distavam légua e légua e meia. No dia do saco, aos sábados, os trabalhadores todos se reuniam em frente à despensa, esperando que João Vermelho despachasse. No terreiro da casa-grande, galinhas e pintos ciscavam. Porcos gordos e sujos passavam. Havia um urubu manso, Garcia, que pinicava amigavelmente os nossos pés. A gente proseava comentando a safra e o trabalho. Faziam-se projetos para a noite no povoado. João Vermelho chegava devagar e cumprimentava:

— Boas tardes.

— Boa tarde.

— Nosso Senhor Jesus Cristo lhe dê boa tarde — Valentim respondia.

Entrávamos, os sacos nas costas, ar cansado, para comprar a comida da semana.

— Nilo — chamava João Vermelho.

— Um quilo de carne, dois de feijão, duzentos e cinquenta de sabão, duzentos e cinquenta de açúcar, um litro de cachaça e meio litro de gás.

E assim desfilávamos, um a um, e ao terminar saíamos para a prosa. João Vermelho, atrás do balcão, pesava os gêneros pedidos. De vez em quando reclamava:

— Pra que dois quilos de carne-seca? Depois se queixa de não ter saldo. Come demais...

Avisava outro:

— Você tá devendo, compre pouco.

O camarada comia menos aquela semana. E João Vermelho assentava num enorme livro de contas as compras dos trabalhadores. Só ele e o patrão sabiam os preços. Éramos obrigados a comprar na despensa da fazenda. Não admirava que nunca tivéssemos saldo.

Lá fora conversava-se sobre a safra:

— Um safrão este ano...

— Só Mata Seca dá dez mil arrobas.

— João Evangelista dá três mil — explicava Honório.

— Vocês sabem que o coronel vem aí?

— Passá o são-joão, não é?

— É, vem com a famia.

— Quem ficará de forga?

O coronel costumava botar um trabalhador à disposição da família para buscar frutas, água, lenha e acompanhar a filha nos passeios pela fazenda.

— Uma canja.

— Eu é que não quero. A dona Arlinda é bruta como o diabo.

— Mas a filha é um peixão.

— Nem olha pra gente...

Honório ficara à disposição no ano passado. Contava:

— Nem liga pra quem a acompanha. Orgulhosa só ela. Nem vê a gente. A gente até fica encabulado.

Faziam-se projetos para as farras em Pirangi. Íamos, depois, ao banho no ribeirão. Com as primeiras estrelas os que moravam longe partiam levando o fifó aceso e o ouvido à escuta com medo da surucucu apaga-fogo. Honório se vestia com a roupa domingueira e afirmava:

— Vou bancar o empregado no comércio.

A noite envolvia tudo. Choravam violas, pássaros piavam. Os frutos amarelos dos cacaueiros e as cobras que silvavam. As estrelas brilhavam no céu. Fifós na estrada pareciam almas penadas que voassem. A noite nas fazendas é triste, sombria, dolorosa. É à noite que a gente pensa...

JACA

JACA! JACA! Os garotos trepavam nas árvores como macacos. A jaca caía — tibum —, eles caíam em cima. Daí a pouco restava a casca e o bagunço que os porcos devoravam gostosamente.

Os pés espalhados pareciam de adultos, a barriga enorme, imensa, da jaca e da terra que comiam. O rosto amarelo, de uma palidez tenebrosa, denunciava heranças de terríveis doenças. Pobres crianças amarelas, que corriam entre o ouro dos cacauais, vestidas de farrapo, os olhos mortos, quase imbecis. A maioria deles desde os cinco anos trabalhava na juntagem. Conservavam-se assim enfezados e pequenos até aos dez e doze anos. De repente apareciam homens troncudos e bronzeados. Deixavam de comer terra mas continuavam a comer jaca.

Escola, nome sem sentido para eles. De que serve a escola? Não adianta nada. Não ensina como se trabalha nas roças nem nas barcaças. Alguns, quando cresciam, aprendiam a ler. Somavam pelos dedos. Escola de libertinagem, sim, era o campo com as ovelhas e as vacas. O sexo desenvolvia-se cedo. Aquelas crianças pequenas e empapuçadas tinham três coisas desconformes: os pés, a barriga e o sexo.

Conheciam o ato sexual desde que nasciam. Os pais se amavam nas suas vistas e vários deles viram a mãe ter muitos maridos.

Fumavam cigarrões de fumo picado, e bebiam grandes tragos de cachaça desde a mais tenra infância. Aprendiam a temer o coronel e o capataz, e assimilavam aquela mistura de amor e ódio dos pais pelo cacau. Rolavam com os porcos pela lama e tomavam a bênção a todo mundo. Possuíam uma vaga ideia de Deus, um ser assim como o coronel, que premiava os ricos e castigava os pobres. Cresciam cheios de superstições e de feridas. Sem religião, sentiam um inimigo no padre. Odiavam-no naturalmente, como odiavam as cobras venenosas e os filhos pequenos dos fazendeiros. Aos doze anos os trabalhadores os levavam a Pirangi, à casa de rameiras. Com a doença feia, viravam homens. Em vez de quinhentos réis passavam a ganhar mil e quinhentos.

Meninada, de nomes comuns: João, José, Maria, Pedro, Maria de Lourdes, Paulo, que nunca tiveram brinquedos e bonecas. Alguns usavam nomes esquisitos de heróis de romances aristocráticos: Luís Carlos, Tito Lívio, César, Augusto, Jorge, Alda, Gilca. Descobri depois que todos esses eram afilhados de Mária, a filha do coronel.

Os batizados realizavam-se de ano em ano, pelo Natal. O coronel e a família convidavam um padre para celebrar uma missa na roça. Famílias de Ilhéus, Itabuna e Pirangi enchiam a casa-grande. Sacrificavam-se porcos, galinhas, perus e carneiros, e eles dançavam à noite, ao som de uma vitrola. Oito dias de farra daquele pessoal da cidade, que evitava tocar na gente com medo de se sujar e que puxava, de longe, conversa para gozar as besteiras que a gente dizia.

Com o dia de Natal chegava a grande festa. Trabalhadores dos mais distantes pontos, famílias inteiras de contratistas, vinham a pé batizar os filhos. Os homens carregavam as botinas nos ombros e arregaçavam as calças de festa. Iam até a casa-grande cumprimentar o coronel e a família. Os visitantes riam risinhos sarcásticos porque as mulheres entravam de rosto baixo, acanhadas, e os meninos enfezados e barrigudos tomavam a bênção a todo mundo e beijavam a mão:

— Beija a mão do doutor Osório, peste. Seja bem-educado...

Beliscões, caras de choro, caras de riso.

Depois voltavam para a frente da despensa, onde a cachaça corria e violas e harmônicas cantavam alegrias e tristezas, histórias de amores primitivos com morenas de laços de fita, vestido de chita, flores selvagens da roça.

Todos bebiam. Homens, mulheres e crianças. A festa não nos alegrava. Alegrava-nos o dia sem trabalho, o salário pago.

O altar levantado na varanda da casa-grande desaparecia entre flores postas ali pelas mãos bem tratadas de Mária e de suas amigas. Os quadros dos santos nem podia se ver de tanta rosa. Às dez horas a família do coronel e as visitas da cidade se estendiam pela varanda. Nós vínhamos para o terreiro. O padre começava a cerimônia. Os ricos ajoelhavam, as moças rezavam em terços de prata ou em livros de fechos de ouro. Os pobres ficavam de pé, alguns a fazerem piadas:

— Eu não ajoelho pra não sujar a minha "porta de loja"... Comprei ontem...

As mulheres dos trabalhadores rezavam também, orações esquisitas, semicatólicas e semifetichistas:

Santa Bárbara, livrai-nos de trovoadas, pestes e mordeduras de cobras. Livrai-nos dos espíritos maus, dos lobisomens e das mulas sem cabeça. Fazei com que meu marido tenha saldo pra gente poder ir embora pro Piauí ou pelo menos ir à Bahia ver o Santo Jubiabá, filho de Orixalá, Nosso Senhor. Eu quero que meu marido fique bom, senão a gente mor-

re de fome, minha Santa Bárbara. Livrai meu irmão Júlio daquela peste da sinhá, que leva todo saldo dele. Protegei a nossa casa contra o espírito do caboclo Curisco, que anda armando barulho. Amém.

Benziam-se atrapalhadas. As ricas rezavam com os vestidos decotados, as peles, meu Deus, alvíssimas, parecendo aquelas frutas europeias. A gente de olhos baixos procurava ver os seios e as coxas. Comentava-se:

— Eu com aquilo na cama...

— Acho que até brochava.

— Nem fale nisso...

— Que pedaço.

— Olha: eu tou vendo um peito, que beleza!

E as donas, alvas como caroço de cacau logo que sai do coco, entregues por inteiro à devoção, deixavam que a gente visse encantos raros que enchiam os nossos sonos de sonhos maus nas noites solitárias da fazenda.

O padre levantava a hóstia. Ajoelhavam-se todos, à exceção de Colodino, que não acreditava. Nós outros éramos indiferentes. Ajoelhávamos por ajoelhar. Que importava?

Quando as moças se levantavam os vestidos suspendiam e as coxas apareciam, deslumbrando os nossos olhos virgens de carne de mulheres bonitas. E elas sorriam para os rapazes estudantes que o filho do coronel trazia. No dia seguinte a gente tinha ódio deles e um desejo recalcado, medonho.

Vinha então o batizado. Trinta crianças, quarenta, uma leva delas, batizadas todas de uma vez, como um rebanho de bois que fosse à marca. Mária segurava velas e arranjava nomes complicados para seus afilhados. Os menorzinhos choravam, os maiores não compreendiam. Passavam a chamar o coronel de padrinho e Mária de madrinha.

O padre, vestido de ouro e seda, nos metia inveja. Fazia depois um sermão bem falado. Afirmava que a gente devia obedecer aos patrões e aos padres. Que não se devia dar ouvidos a teorias igualitárias (a gente ficava morto de vontade para saber destas teorias). Ameaçava com o inferno aos maus, que se revoltassem. Oferecia o céu aos que se conformassem.

Casais há muito amigados deixavam-se benzer pelo padre. E apesar de ficarem casados no religioso, Deus não melhorava a sua sorte. Continuavam na mesma miséria de todo dia.

Terminadas as cerimônias, o padre sorria para o coronel, o coronel sorria para os presentes e iam para a mesa, enfeitada de flores, vinhos e galinhas. O coronel mandava dar cachaça à gente. Nossa carne-seca era a mesma e o feijão também.

Os recém-batizados trepavam com a roupa nova nas jaqueiras e as jacas maduras caíam. Apostavam brigas depois. Não jogavam futebol nem corriam de velocípede. Matavam pássaros com bodoque e comiam, às escondidas das mães, barro da beira do ribeirão.

Nem os garotos tocavam nos frutos de cacau. Temiam aquele coco amarelo, de caroços doces, que os trazia presos àquela vida de carne-seca e jaca. O cacau era o grande senhor a quem até o coronel temia.

Raimunda morrera num dia claro de sol, na fazenda do coronel Aurélio. Amélia parecia uma moça tomando conta da doente. Catorze anos franzinos. Raimunda, ao expirar, pediu ao coronel que olhasse pelo futuro de sua filha. Ela ficou cria do coronel em Ilhéus. Servia de cavalo para os filhos do patrão, varria a casa e ia buscar água na fonte. Comia os restos e apanhava a todo momento. Um dia revoltou-se. Deu nos que a cavalgavam. Mordeu-os. Xingou. Chorou muito. Apanhou tanto nesse dia que da rua ouviam os seus gritos.

À vizinha que acudiu, d. Clara explicou:

— A gente faz a caridade de amparar essas misérias e elas são malcriadas, não fazem nada bem-feito. Calcule que esse nem sei que diga mordeu o Jaime e bateu no Joãozinho. Depois soltou um bocado de nomes feios.

— Só surra grossa. Senão não endireita...

Elas não sabiam como a gente odiava essa caridade.

Escola! Amélia foi para a escola. Um dia um sujeito, poeta ou qualquer coisa assim, furtou Amélia. Ela foi para a escola. Hoje escreve à gente, conta coisas. Diz que um dia, quando crescer, virá nos ensinar. Nesse dia, quando souberem essas coisas, os meninos não comerão mais jaca. Se levantarão com o toco de facão em punho... A gente não entendia bem Amélia. Mas acreditava. Um dia...

Os meninos não pensavam. Trabalhavam, comiam e dormiam. Um literato disse certa vez:

— Esses é que são felizes. Não pensam...

Assim parecia a ele.

O REI DO CACAU E A FAMÍLIA

VIERAM PASSAR AS FÉRIAS DE SÃO-JOÃO. Colodino endireitara a varanda, substituíra as tábuas velhas que o cupim roera, caiara a frente e pintara as portas. No fundo, o milharal crescia, esperando as festas, a canjica, o munguzá, a pamonha. Algemiro e João Vermelho andavam afobados, preparando as coisas para a chegada do coronel e da família.

Manoel Misael de Souza Telles, o rei do cacau, senhor feudal daquela inacabável fazenda Fraternidade, chegou com toda a família por uma clara manhã de junho. Cinco burros carregavam as bagagens. D. Arlinda, metida numa inacreditável amazona, derreava o pobre burro com os seus quase cem quilos. Mária montava como homem, os olhos claros e os cabelos loiríssimos e crespos, balançados pelo vento fino que curvava o milharal e derrubava folhas dos cacaueiros. O coronel interrogava Algemiro sobre a safra e João Vermelho sobre os trabalhadores.

— A roça detrás do pasto no ano passado deu mais.

— Não foi podada... Mas a de João Evangelista tá dando mais esse ano.

— Chegará a oitenta mil a safra, hein?

— Chega, coronel.

— É preciso. O cacau está baixando — apontava a gente —, esses miseráveis só sabem comer. Trabalham quase nada.

— A gente precisa estar em cima.

O coronel possuía uma voz arrastada, demorada, cansada, de animal sagaz, e uns olhos maus, metidos no fundo da cara enrugada pela idade. Cultivava, como meu tio, uma barriga redonda, símbolo da sua fartura e da sua riqueza. Sabia-se que comia muito, comia estupidamente, e que há cinquenta anos atrás fora tropeiro e, depois, dono de uma vendinha. Talvez porque tivesse sido alugado nos odiava e desconfiava de nós. A d. Arlinda, orgulhosa da riqueza do marido, usava joias caras e vestido de seda mesmo para andar pelas roças.

Estávamos vários de nós sentados em frente à despensa, quando a cavalgada passou:

— Bom dia.

— Bom dia.

Valentim respondia demorado:

—Nosso Senhô Jesus Cristo lhe dê bom dia, meu patrão.

E baixinho, para nós:

— O diabo te esconjure, peste.

Dos extremos da fazenda, das roças as mais distantes, saíam famílias inteiras de trabalhadores para vir cumprimentar d. Arlinda. Traziam cestas. Quiabos, jilós, tomates e feijão-verde entupiam as cestas cobertas com a melhor toalha da casa. Algumas conduziam abóboras gigantes, jacas escolhidas, cachos de banana. Atrás as crianças empapuçadas patinando nas poças de lama e correndo pela estrada:

— Fique direito, miseriazinha. Daqui a pouco a roupa tá suja que é um horror. É assim que vai tomá a bênção a teu padrinho?

Entravam e apertavam os dois dedos cheios de anéis que d. Arlinda lhes apresentava. As crianças beijavam a mão da madrinha, os lábios sujos de visgo de jaca. Fazendeiros de perto conversavam com o coronel sobre negócios. Mária, da varanda, olhava a paisagem de ouro dos cacauais, na qual nós, homens nus da cintura para cima, éramos simples complemento.

D. Arlinda interrogava as mulheres:

— Como vai seu marido?

— Doente, patroa. Depois que uma cobra mordeu ele, nunca mais teve saúde. Eu até desconfio que isso é feitiço. Mas ele não tem saldo pra ir à Bahia ver o santo Jubiabá...

— Feitiço o quê... Isso é preguiça... Se vocês trabalhassem, acabavam enriquecendo.

— A gente não faz questão de enriquecer, não, inhá. A gente quer apenas saúde e feijão pra comê. E se trabalha muito, sim.

D. Arlinda olhava as mãos pequenas de unhas vermelhas e bem chiques:

— O trabalho não é tão pesado assim...

A mulher olhava as mãos grandes e calosas, de unhas negras e bem sujas, e sorria o sorriso mais triste deste mundo. Não chorava, porque ela, como nós, não sabia chorar. Está aprendendo a odiar.

Bebiam seu trago de pinga e voltavam. Os meninos, que a muito custo se conservavam quietos, saíam a correr.

Foi numa dessas carreiras que um garoto bateu num cacaueiro e derrubou um fruto verde. O coronel, que olhava da varanda, voou em cima do menino, que ante o tamanho do seu crime parara boquiaberto. Mané Frajelo suspendeu o criminoso pelas orelhas:

— Você pensa que isso aqui é de seu pai, seu corneta? Comem e só fazem destruir as plantações, gente desgraçada.

Uma tábua de caixão, abandonada perto, serviu de chicote. O garoto berrava. Depois, dois pontapés.

Colodino fechava os olhos e cerrava os punhos. Mas ficávamos todos parados, sem um gesto. Era o coronel quem batia e demais o castigado derrubara um coco de cacau. De cacau... Maldito cacau...

À tarde, de volta do trabalho, nos reunimos para a conversa diária, em frente ao armazém. Comentávamos a chegada do coronel, quando ele apareceu, acompanhado de Algemiro e de Mária, que vestia um pijama complicado, de seda.

— Boa tarde.

— Boas tardes.

— Como vão as barcaças, Colodino?

— Comecei agora as últimas.

Honório amolava o facão.

— E você, seu negro, continua muito preguiçoso?

Honório espiava com os olhos mansos e sorria:

— Nunca fui...

— Tem furtado muito, João Grilo?

— Não sei fazer contas...

Mané Frajelo virava-se para mim:

— E aquele, quem é?

— Um sergipano — Algemiro explicava — novo aqui. Não tem um ano ainda.

— Que tal o trabalho?

— Não é ruim...

Chegava a vez de Valentim:

— Você não morreu ainda, porqueira? Não serve mais pro trabalho, vive aqui comendo de graça.

— Só saio daqui com os pés pra frente. Quem comeu a carne que roa os ossos...

Decididamente o coronel estava de bom humor. Fez piada com todos. Nós ouvíamos silenciosos, cabeça baixa, olhando os cacaueiros. Nunca odiei a ninguém como naquele dia odiei o coronel. Por fim, ele virou-se para Mária:

— Como é, não escolheu ainda?

Chegara a hora temida da escolha. Mária tirava um trabalhador para ficar à disposição da família. Nós nos assemelhávamos a uma rencada de pintos, dos quais um, o mais pitoresco, seria separado dos outros e levado para a casa do patrão. Temíamos a escolha porque, se bem que o trabalho fosse menor, a humilhação era muito maior.

Os olhos de Mária pararam em mim. Baixei a cabeça, soturno.

— Aquele sergipano, papai.

Algemiro bateu em meu ombro:

— Você vai ficar à disposição do coronel.

Cumprimentava-me:

— Que sorte, hein? Ganhar quase sem trabalhar.

Respondi com a voz arrastada como a de Mané Frajelo:

— É...

O coronel e a filha distanciavam-se. Algemiro acompanhou-os. Olhei os camaradas. Honório sentou-se junto a mim:

— Você vai sofrer um pedaço, Sergipano. Aquela menina é uma miséra de orgulhosa. Eu sofri o ano passado. Mas é assim mesmo. São tudo uns peste...

Voltei-me para Colodino:

— Isso continuará sempre assim, Colodino?

Ele, de todos nós, parecia o único a ter uma certa intuição de que alguma coisa, um dia...

— É impossível. Tem que mudar.

— Como?

— É o que não sei...

Algemiro voltava e opinava:

— É trabalhar para enriquecer.

— Não — Colodino discordava —, assim haverá patrões e alugados.

— Sempre haverá, seja como for.

Olhávamos os cacaueiros e não achávamos a solução. Se nós não estivéssemos muito acostumados com a miséria, os suicídios seriam diários. Não haveria um meio de sair daquela situação?

As primeiras estrelas que apareciam no céu não respondiam. Nem as cobras que silvavam nos campos.

Carreguei água e rachei lenha. Ajudei a matar galinha e trouxe caçuás de laranjas e cachos de banana. O café da família do patrão valia bem mais que o nosso almoço, café gordo com leite, pão, queijo, arroz-doce, aipim e quanta coisa mais... O pijama de Mária apresentava desenhos complicadíssimos. Sentei-me na porta da cozinha. A cozinheira me ofereceu uma caneca de café.

— Muito obrigado, já comi.

Ela admirou-se da recusa:

— Tem leite. É do bom, tolo.

— Obrigado.

— Pelo menos um pedaço de arroz-doce.

— Estou sem fome.

— Para não me fazer desfeita.

Aceitei. Comia devagar aquele doce gostoso, quando Mária chegou e gracejou:

— Nunca tinha comido isso, hein?

— Em minha terra tem muito, senhorita.

Olhou para mim, espantada:

— Ah! É de Sergipe, não é? Lá fazem muito arroz-doce. Eu já estive em Aracaju. Dançamos muito... Você sabe ler?

— Sei.

— E escrever?

— Também.

— É raro... Em geral vocês são uns ignorantões.

— Somos esquecidos do mundo.

— Não pedi sua opinião. Venha fazer o rol de roupa suja.

Entrei, as calças de mescla azul sujas de lama, a camisa de bulgariana fora das calças, o facão a bater nas pernas. Mária ditava:

— Seis cuecas; doze lenços; quatro pijamas...

Examinou a minha letra. Olhou depois para os meus cabelos louros, sorriu sarcástica da minha indumentária. Eu não estava confuso. Estava, sim, com ódio.

— Vai levar isso a sinhá Margarida. Diga a ela que é para sábado.

— Sim, senhorita.

— Olhe! À tardinha prepare um burro bom para eu dar um passeio...

Saí com a trouxa. Quando passei pela roça que fora de João Evangelista, me vaiaram:

— Eh! Copeirazinha, vai lavar roupa no riacho?

Dei bananas, sorrindo. E lá me fui com o meu ódio inútil pela filha do patrão.

— Estão prontos os burros?

— Está o que a senhorita pediu.

— E o seu?

— Eu também vou?

— Então queria que eu fosse sozinha? E faça o favor de lavar a cara...

— Ponha os arreios velhos de Algemiro — avisava o coronel — e não me pise o burro.

Saímos silenciosos pela estrada. Um sol morno de inverno iluminava os campos.

— É bonito...

Ante o meu silêncio ela perguntou:

— É bonito, não acha?

— É triste. Os que vivem aqui sofrem.

— Resolveu me dar lição sobre a vida de vocês?

— Não. A senhorita é patroa, tem a obrigação de saber.

— A vida de vocês não me interessa. Nunca tive vocação para freira...

— Nem nenhum de nós para escravo.

— Sou obrigada a lhe fazer voltar amanhã para o trabalho na roça. Prefiro Honório, que olha para a gente com aquela cara de assassino, mas não fala. Escolhi você porque tive pena. Você é branco e moço.

— Obrigado.

— Por que é que vocês odeiam tanto a gente? Nós somos culpados de vocês não serem ricos?

— Nós não queremos ser ricos.

— O que querem, então?

— Sei lá...

Paramos. Ela sentou-se embaixo de uma jaqueira. Amarrei os burros e esperei. Ela abria um livro que trouxera.

— Você sabe ler mesmo?

— Sei.

— Leia alto para eu ouvir.

Deu-me o livro, um romance de amor, aberto na descrição de uma festa. Comecei a ler maquinalmente. Taças de champanhe, copos de vinho, danças, foxes e valsas, paradoxos e delicadezas. Quando virei a página notei que sujara a outra com os meus dedos.

— Sujei seu livro, senhorita.

— Então a descrição da festa lhe fez mal, hein? Deu vontade de beber champanhe...

— Eu não gosto de beber. Bebo cachaça porque aqui é preciso.

— Você é bem malcriado.

— Sou trabalhador, não tenho educação.

Pegou do livro e deitou-se a ler. Eu colhia malmequeres. Ela sorriu:

— Não é tão sem educação assim.

— Umas flores para Magnólia, noiva de Colodino.

— Ah!

E tornou a ler as cenas de amor de duques e condessas europeias. Fiquei olhando o horizonte ao longe, contente de me ver livre no dia seguinte da filha do patrão. Quando voltamos, alguém gritou de uma roça:

— Está bancando ama-seca, Sergipano?

Mária zangou-se. Não admitia pilhérias de trabalhadores, uns animais estúpidos.

— Descubra quem foi para papai despedir.

Fitei-a com um olhar tal que ela se amedrontou um instante. Reagiu logo, porém:

— Não trai os outros, não é? Vocês todos não valem o que comem.

Não me mandou retornar à roça como prometera. Mas no outro dia tratou-me asperamente, orgulhosamente, digna filha de Mané Frajelo.

— Faça isso. Faça aquilo.

Os seus cabelos louros e a sua pele branca sobressaíam no pijama rosa.

— Vá buscar flores para enfeitar a casa. E não leve as melhores para essas roceiras daí. Até as flores vocês destroem...

A cozinheira me avisou:

— Ó gente bruta. A mãe ainda é mais. O filho então...

O filho só chegaria na outra semana. Andava pela Bahia, na faculdade.

— Então você agora tá ama-seca da coronezinha?

— Lugar desgraçado...

— Lhe humilha a toda hora, não é?

— Mas eu respondo, Colodino.

Honório aconselhava:

— É melhor ficar calado. Trabalho tá difícil. Se ela lhe dispede…

— Que me importa?

Colodino pegava da viola e dirigia-se para casa de Magnólia. João Grilo cantava na noite de breu, cheia de assombrações. Os meus sonhos começaram a se perturbar. Sonhava com cacau e logo depois não era mais cacau, eram os cabelos louros de Mária.

A POETISA

NA INTIMIDADE DO FOGÃO, a cozinheira me contou. Mária escrevia versos. E me mostrava um jornal de Ilhéus, que em duas colunas da primeira página publicava um retrato da poetisa, acompanhado de elogios:

> ... a elegantíssima e bela Mária Telles, filha do progressista e generoso coronel Manoel Misael de Souza Telles, é uma das mais radiosas esperanças das letras pátrias. Talento de escol, inteligência bafejada por um sopro divino, escreve versos admiráveis com as suas mãos aristocráticas de artista, como os que aqui transcrevemos. Trata-se de um inspiradíssimo soneto dedicado às suas colegas de ano. O *Jornal de Ilhéus* honra-se sobremaneira com a colaboração da jovem e talentosa poetisa patrícia.

Seguia-se o soneto:

AO SAUDOSO 4º ANO

Despeço-me de ti, saudoso 4º ano!
Onde passei dias tão cheios de luz,
Rogando por vossos membros,
Aos pés do bom e terno Jesus!

Adeus! oh! curso tão célebre
E por línguas más, tão falado,
Adeus, queridas colegas,
Adeus, 4º ano tão celebrizado!

Adeus, gentis coleguinhas em Jesus,
Meu coração por vós todas está pulsando,
Como um horizonte cheio de luz!

Adeus, mais uma vez adeus!
Jamais de vós me esquecerei, e por vós
Todos os dias uma prece à Virgem Pia sairá dos lábios meus!

Eu nunca entendi de poesia, mas esse soneto me pareceu detestável. Não o julgou assim um literato de Pirangi, que mandou a Mária o seguinte impresso. (Ela deixou cair de um livro e eu li à noite):

Pirangi, Ilhéus (Bahia), 28 de novembro de 193... — Prezadíssimo confrade. Saudações cordiais.

Estando em organização o Anuário Lítero-Comercial de Pirangi *para 193..., do qual sou diretor, tomei a liberdade de solicitar a valiosa colaboração de v. sa., na certeza de que me enviará com a necessária urgência um dos primorosos produtos do seu invejável talento.*

O Anuário Lítero-Comercial *deverá vir à luz da publicidade em janeiro próximo vindouro, contendo abundante parte literária, charadística e científica e largos serviços de informações relativos a Pirangi, com indicador geral e nomenclatura de todos os negociantes, industriais e fazendeiros do distrito, biografias de brasileiros ilustres, clichês de notabilidades e influências políticas residentes em Ilhéus e também dos melhores edifícios da localidade e de importantes propriedades agrícolas.*

Em suma: será uma obra de real valor e feita à semelhança dos melhores anuários existentes no país.

Portanto, a vossa colaboração é, no seu valor significativo, um serviço prestado às letras pátrias e, ao mesmo tempo, um dos maiores favores em prol do progresso, do bom nome e das possibilidades assombrosas desta terra, parte humilíssima, mas fecunda, do nosso idolatrado Brasil.

Oferecendo-lhe a insignificância dos meus limitados préstimos, sou

De v. sa.

Confrade e admirador.

No outro dia, entreguei o impresso à Mária.

— A senhorita deixou cair isso ontem.

— E só me entrega hoje?

— Esqueci no bolso.

Ela tomou do papel e leu. Reconheceu:

— Pedido de colaboração para um anuário daqui. Eu estou com vontade de fazer uma descrição da fazenda...

— Boa ideia.

— ... das festas, da beleza das roças, da vida boa de vocês...

— Boa?

— E então, é má?

— É péssima.

— Vocês têm casa, comida, roupa e saldo...

— Raras vezes.

— Acham isso pouco?

— Bastaria à senhorita?

— Você é ousado. Com que direito me interroga?

— A senhorita vai escrever sobre a nossa vida e eu não quero que a senhorita seja desonesta.

— Procure seu lugar...

— Se esse anuário publicasse eu também ia escrever uma coisa sobre a nossa vida.

— Você? Ah! Ah! Ah!

Riu muito, porém, silenciou de repente e me olhou longamente.

— Você não é igual a eles... Como veio parar aqui?

— Nós todos somos iguais. Somos todos explorados...

— Não seja tolo — enraivecia-se. — Vocês também odeiam a gente sem saber se há bons e maus.

Eu contei-lhe a minha história, que ela ouviu silenciosa. Concluí:

— Como vê, senhorita, sou igual a todos eles. Nós somos laia à parte. Eu vim de gente boa. Hoje, porém, sou inteiramente deles e estou contente com isso.

— Com passar mal?

— Não vale a pena ser rico. E quem sabe se um dia isso mudará...

— Você é socialista?

— Não conheço essa palavra.

Não conhecia, de fato. Mária não explicou. Talvez ela mesma não soubesse o que significava perfeitamente.

— Você não pensa, como Algemiro, em enriquecer?

— Não.

— Por quê?

— Porque não sei explorar trabalhadores.

Íamos pelas tardes a Pirangi. Os rapazes da localidade olhavam Mária com os olhos cheios de desejos.

Bela e herdeira de grande fortuna. Tipo da princesa encantada para aqueles empregadinhos de comércio. Idealizavam:

— Se ela se apaixonasse por mim...

— Eu ia comer e dormir de papo pro ar.

Mária passava, orgulhosa como uma deusa, sem os ver. No meio da estrada, um cego pedia esmola, os cabelos brancos, Mária jogava um níquel. Um dia lembrei-lhe:

— Foi trabalhador do coronel. Cegou...

— Não me interessa. Cale-se.

— Talvez que se ele soubesse que a esmola era da senhorita não aceitasse...

Mária ria doidamente, os cabelos revolucionados pelo vento.

— Você é o tipo do idealista romântico.

— Eu não entendo linguagem bonita...

Quando Colodino voltava da casa de Magnólia a conversa se animava. João Grilo parava com as velhíssimas anedotas, o velho Valentim interrompia as suas recordações da guerra de Canudos, na qual ele, meninote ainda, tomara parte ao lado de Antônio Conselheiro, Honório dizia uma graçola e passávamos a conversar com o carpinteiro. Apesar dos seus vinte e sete anos, Colodino, que sabia ler e escrever, tocava viola e falava certo, parecia-nos um mestre. Em verdade ele possuía a intuição de muita coisa. Pretendia, logo que casasse, sair da roça e viajar para o Rio de Janeiro. Não acreditava em Deus nem em superstições. Incapaz de uma estupidez, reservava para os camaradas carinhos de irmão. Sentíamos que ele nos amava a todos nós, trabalhadores. Eu pensava muito como Colodino. Alguns, como Honório, não entendiam bem. Era pouco o que Colodino sabia e ele sentia dificuldade em explanar as suas ideias. Eu explicava às vezes e o carpina apoiava:

— É isso mesmo... é isso mesmo... Nada de querer ser patrão como Algemiro...

Sabíamos pouco, mas adivinhávamos algo. A miséria ensina. Naquela noite, Colodino me interrogou:

— Então, como vai você com a filha de Mané Frajelo?

— Acho que ela anda safada comigo. Tenho dado cada resposta...

— Não vá se apaixonar...

— Eu?

João Grilo pilheriou:

— Ou ela por você.

— Ela não dormiria aqui... — apontei para as tábuas duras do jirau.

— Você podia dormir na cama dela...

— Eu não quero ser patrão.

Colodino animava:

— Esculhamba aquela burra.

***

No outro dia, Mária me mandou buscar tangerinas. E quando voltei ordenou que as levasse para a sombra da jaqueira. Ela encaminhou-se para lá, um livro debaixo do braço.

— Venha comigo.

— Tenho que rachar lenha.

— E eu vou ficar sozinha embaixo da jaqueira? E as cobras? Você rachará lenha depois, tem tempo.

Quando virou as últimas páginas do livro me contou:

— É uma história bonita. Uma condessa que vai ao seu castelo no campo e se apaixona por um roceiro. A família se opõe, mas ela casa e o roceiro vai ser conde. E vivem felizes...

— Contos da carochinha.

— Não. Isso é um romance — riu — de uma escritora francesa. É bonito, não acha?

— Mas o roceiro é um traidor.

— A quem ele traiu?

Embatuquei com a pergunta. Mária sorria vitoriosa.

— Traiu os outros trabalhadores.

— Como, melhorando de vida?

Silenciei.

— E você não casaria com a condessa?

— Começa que a condessa não me amaria...

— Você está fugindo da pergunta. Se ela lhe amasse e você a amasse?

— Se ela me amasse poderia vir ser mulher de trabalhador.

Chegou a vez dela embatucar. Mas respondeu minutos depois:

— E ela ia acostumar com essa vida?

— E ele se acostumaria com a vida de luxo?

— Ora, se...

— Pode ser... Mas ele foi um traidor.

Mária contentou-se em responder:

— É. Mas essas histórias acontecem às vezes na vida real.

Narrei essa conversa a Colodino. Ele garantiu:

— Ela é como todas as moças de colégio de freira. Se impressiona com os romances. Vai ver que qualquer hora quer casar com você.

— Você está doido, Colodino?...

Mária me leu o artigo para o anuário. Descrevia, muito mal, diga-se de passagem, a fazenda, as festas e a vida dos trabalhadores. Terminava mais ou menos assim:

...e são felizes no seu trabalho honesto. Divertem-se, tocam viola, amam, estimam os patrões, que são os seus pais e mestres. Adoram os patrões, que em paga tratam bem aos seus trabalhadores, tratamento de pai para filho. Talvez por isso

nada valem as pregações dos doutrinadores de ideias exóti-
cas, que aparecem pelas fazendas...

Avisou:

— Este último parágrafo é dedicado a você.

Abri a boca com um espanto deste tamanho.

ACARAJÉ

NÓS TAMBÉM RESOLVEMOS FESTEJAR O SÃO-JOÃO. O baile seria em casa de d. Júlia. Oferecemos a cachaça, garrafas e mais garrafas, e derrubou-se o milharal que Magnólia plantara nos fundos da casa. Uma festa, sim. Com canjica, pamonha, munguzá, acaçá, acarajé de feijão-branco, milho cozido e cachaça. Queimaríamos fogueira, uma fogueira grande, bem maior que a da casa do coronel.

Lá também andava uma trabalheira horrorosa. Montes de espigas de milho, louras como o cabelo de Mária, se levantavam na cozinha. Eu rachara lenha para a fogueira e d. Arlinda tirara os anéis para ajudar a cozinheira a fazer a canjica.

Os tachos imensos e as imensas colheres de pau. A palha de milho cortada para enrolar as pamonhas. Quando eu arranjava uma folga corria até a casa de d. Júlia. O trabalho muito menor, pois muito menor era o monte de milho. Uma velha bacia, de buracos tampados com pano, substituía os tachos e Magnólia mexia aquilo tudo com uma colher de pau de cabo rebentado.

Honório e João Grilo, trancados em casa, arquitetavam qualquer coisa misteriosa para nossos olhos indiscretos.

O filho do coronel chegara da Capital e trouxera dois amigos. No dia da chegada um deles levantou a ideia de fazerem balões, dezenas de balões como na Bahia. Mas o coronel protestou, lembrando que as buchas ainda queimando podiam cair sobre as roças e incendiar os cacaueiros. E brincadeiras com os cacaueiros ele não admitia...

A cozinha parecia o inferno. Do fogão saía um calor enorme. As mãos pretas da cozinheira passaram a amarelas, dos pingos do milho. D. Arlinda me gritou:

— Rale esse coco, Sergipano.

Eu furava os cocos, deitava a água num copo para Osório beber. Depois ralava-os e com eles os dedos desacostumados daquele serviço.

— Mária, traz o açúcar.

Quando ela entrou eu sugava um dedo que deitava sangue.

— Está bancando o cozinheiro, hein?

D. Arlinda notou o meu dedo ferido:

— Não vá deitar sangue no meio do leite de coco, seu porcalhão.

Algemiro sangrava um porco junto aos cochos e João Vermelho pegava galinhas no terreiro — ti! ti! ti! — e jogava milho.

D. Arlinda comandava:

— Aquela pedrês e o capão amarelo. A franga sura também...

Olhavam na bacia de água parada para ver a fisionomia de futuro noivo. Olhavam atentas para a água imóvel.

— Que moço bonito, meu são João. Parece até um estudante da cidade.

— Chi! O meu é um velho sem cabelo. Não quero não...

Noivos... Raras teriam noivos. Amásios, sim, e quantos... Elas sabiam disso. Mas olhavam a água tranquila fixamente, num último resto de ilusão.

Na casa-grande também olhavam na bacia de água. E que bacia bonita, de uma louça de nome complicado, com pinturas. Um dos rapazes que Osório trouxera escrevia versos que publicava nos jornais da Bahia. Galanteou para Mária, que acabava de interrogar a água:

— Foi o meu feio rosto que os seus lindos olhos perceberam?

Mária apontou para mim, que esperava na varanda ordem de me retirar:

— Foi o rosto do Sergipano...

As gargalhadas doeram-me como chicotadas. Poderia dizer que saí com o coração magoado. Porém, mentiria se dissesse. Saí com ódio de todos e de tudo. E no escuro, em caminho da casa de d. Júlia, arranquei um coco de cacau e com uma pedra o esmaguei.

A nossa fogueira, um palmo mais alta que a do coronel, lançava labaredas muito altas para o céu cheio de estrelas. Canas e batatas-doces assavam. Honório dançava danças de macumba, ao mesmo tempo que comia milho cozido. O pessoal da fazenda viera em bloco e ainda trabalhadores das roças vizinhas. Dançavam ao som das harmônicas velhas valsas e velhos sambas. No terreiro sambava-se. Garrafas de cachaça esvaziavam-se.

— Viva são João!

— Me dá um acarajé?

— Pouca ou muita pimenta?

— Uma cuié de sopa — engolia de uma vez.

— Tá bom?

— Se tá... Agora um pouco de cachaça...

— Vamos dançá, siá dona?

— Tô cansada, me adiscurpe.

— Discurpe a mim, excelentíssima. Se eu soubesse do seu cansaço não incomodava — e João Grilo discursava.

Discutiam sobre cachaça:

— Aquela pinga da casa do velho Antero, ô pinga macha...

— Tá... Aquilo lá é cachaça... Cachaça que home beba é da casa do Senhô.

— Pois eu não bebo cachaça dele e sou macho pra qualquer um.

— Deixa de valentia, que eu cá não me cago, não.

— O que é isso, gente? Quer brigarem? Não arrespeitam a minha casa? — intervinha d. Júlia.

Mais um trago de cachaça e concordavam.

— Boa lambida.

Abraçavam-se. Esperavam que passasse um par de mulheres.

— Vamos desapartar?

— Vamos...

A harmônica no fundo da sala se abria toda e se fechava toda, parindo sons. Um cheiro de suor entupia a sala. Os homens suavam. As mulheres suavam.

— Que aroma.

— Você tá gastando brilhantina, Nilo?

— Isso é cheiro de sovaco de muié moça... ainda sem conhecê home...

Saíam mulheres pela porta do quintal.

— Onde vai você, sinhá Rita?

— Mijá, que já tou que não me aguento.

— Tome tento que tem cabra oiando.

— Vê coisa bonita, garanto.

João Grilo, vestido de casimira, rodopiava na sala. Honório cumprimentou-o:

— Você tá vestido de empregado do comércio.

— Obrigado, Honório.

— Meu nego, me dá um copo d'água?

— Um copo d'água pra sinhá Fulô...

— Obrigado.

— Vamos dançá esse samba?

— Eu não sei direito...

— Nem eu...

— Então tá certo.

— Não me belisque, seu Honório.

— Foi sem querer, me adiscurpe.

A imagem de são João na sala entre duas velas.

Pulava-se fogueira. Pulei com Magnólia, pulamos quase todos e começamos a nos tratar de compadre e comadre. D. Isabel pulou também, apesar da barriga enorme.

— Para quando espera o seu bom sucesso?

— Para o mês, minha filha.

— Nossa Senhora do Bom Parto lhe acompanhe...

— Amém. Mas eu já estou acostumada. Com esse faz onze.

— Tira uma batata assada pra mim, compadre...

— Queimei meu dedo.

— Coitadinho...

Soprava um vento forte. Começavam a aparecer nuvens escuras. Os cacaueiros soltavam as folhas com um estalido seco.

— Antes que a chuva caia vamos soltar o balão — lembrou Honório.

O balão! A surpresa que ele e João Grilo prepararam, um balão-monstro, com papel de todas as cores e uma bucha majestosa. Batemos palmas. João Grilo trepou numa escada para segurar o tope do balão, enquanto nós outros, cá embaixo, manejávamos abanadores que o enchiam de ar.

Estávamos tão preocupados com o trabalho que nem vimos a família do coronel chegar. Osório, os dois rapazes e Mária, acompanhados por Algemiro e João Vermelho.

O poeta gritou:

— Um balão, muito bem. Vai levar as nossas saudações à dindinha lua e às irmãs estrelas.

Nos voltamos todos. O balão esvaziou. O poeta ordenou:

— Encham-no. Encham-no. Não percam tempo que vai chover.

Esqueceram-se de nos dizer que o coronel proibira os balões.

Cheio, impando de ar, o balão tentava soltar-se das nossas mãos. Vi que Colodino fechava a cara. Olhei e compreendi. Num canto, longe do mundo, Magnólia ouvia as gracinhas de Osório e sorria. Fitei Colodino. Nenhum músculo se movera. Continuava a segurar o balão, silencioso. Alguém trouxe o tição. O poeta murmurou langoroso:

— Mária é quem deve acender a mecha.

Mária pegou no tição e aproximou-o da mecha.

O balão largou bonito, mistura de cores, e principiou a subir, voando para os lados da roça detrás do ribeirão. Ficamos de olhos pregados no céu. Daí a pouco o coronel chegava correndo:

— Quem soltou a desgraça desse balão? Eu não proibi? E se ele tocar fogo nas roças? Miseráveis...

A sua voz arrastada tremia. Quase chorava. Xingava:

— Miseráveis...

Soltava nomes feios sem respeitar sequer a presença da filha.

O balão subia calmo. De repente o vento pegou. Perdeu o equilíbrio e virou. O fogo da mecha passou para o papel e o balão começou a cair rapidamente. O coronel arrancava os cabelos:

— Corram, corram, pestes. Não deixem que ele queime a roça.

Corremos todos. O fogo pegava nas folhas secas. Ameaçava levar as roças. Jogamos latas de água. Mas a chuva que caía apagou tudo. Só um pé de cacau ficou limpo de folhas e com os cocos calcinados.

O coronel rugiu entre dentes:

— Filhas da puta.

Depois perguntou:

— Quem fez esse balão?

Honório se apresentou:

— Fui eu.

— Devia lhe despedir, seu canalha.

Mas Honório sabia muita coisa da vida do coronel...

Fomos para casa debaixo da chuva grossa. Osório aproveitava a confusão para apalpar Magnólia.

DIREITO PENAL

ORA, ACONTECE QUE Colodino não era inocente e começou a notar que o filho do patrão arrastava a asa à Magnólia. E o pior de tudo é que Magnólia aderia à história, muito honrada talvez com aquela preferência do futuro doutor.

No fim desse ano Osório se formaria em direito e já se falava na festa da formatura. Magrinho, de óculos de tartaruga e uns dedos de moça, usava tanta brilhantina nos cabelos pretos que quando o sol batia parecia um espelho. Diziam-no um dos melhores alunos de direito da Bahia, "orgulho dos mestres e dos condiscípulos" (como noticiava o *Jornal de Ilhéus* à sua chegada), estreara, ainda no terceiro ano do curso, no Júri, defendendo um ladrão que os jurados absolveram em sinal de respeito à cultura de Osório e aos dinheiros do Mané Frajelo.

Frequentava a missa todo o domingo, em Pirangi, com uma fita azul no pescoço, símbolo de não sei que congregação, e possuía no quarto uma série de livros imorais com gravuras. Sempre que aparecia na fazenda trazia dois ou mais amigos, para, como dizia, "poder gozar melhor a paz bucólica".

Os amigos comiam como animais, bebiam e faziam pândegas em Pirangi, namorando as filhas dos árabes comerciantes e caloteando as infelizes da rua da Lama.

A passagem desses jovens e esperançosos cultores do direito pelas fazendas deixava sempre um rastro de sangue de virgens defloradas. Deste modo nunca faltavam mulheres na rua da Lama. Por vezes um levava uma carga de chumbo. Mas isso era raro. Os filhos dos coronéis são semideuses despóticos que amam deflorar por farra tolas roceiras de pés grandes e mãos calosas. Pernósticos, falando difícil como quem sabe gramática, brutos e mal-educados, esses meninos me causavam um nojo medonho. Colodino também não os tolerava e não me lembro de haver ouvido o carpinteiro responder a qualquer pergunta dos acadêmicos.

Conversavam conosco de longe, com medo de se sujarem. E olhavam enternecidos os cacaueiros que lhes forneciam dinheiro para brincadeiras nas pensões chiques da Bahia...

As chuvas de junho enlameavam tudo, tornando as estradas quase intransitáveis. Patinávamos sobre a lama, onde até os burros escorregavam, exigindo de Antônio Barriguinha uma atenção incomum. Com a chuva as cobras andavam alvoroçadas, procurando onde se meter. Nós, com as casas alagadas e muito trabalho, ficávamos de mau humor e sentíamos a proximidade de uma tragédia. O sol lutava inutilmente para romper as nuvens. As violas calavam-se e comprávamos, por preços exorbitantes, uns cobertores vagabundos. Os cacaueiros é que estavam maravilhosos, os cocos de ouro por onde os pingos de água corriam como brilhantes raros. Mas nós nem olhávamos a beleza da paisagem. As calças colavam-se ao corpo, molhadas e grossas de lama. As mulheres de cabelo comprido bebiam cachaça para matar o frio.

— Dá cá um mata-bicho pra eu não me resfriar...

O trabalho das barcaças estava parado e Colodino andava serrando madeira na roça que o coronel comprara de d. Doninha, perto da casa de Magnólia. Esta lhe enviava o almoço e a pinga. Colodino andava de cara fechada. Mas não interrogava nem discutia. Uma noite, Osório passou pela residência de d. Júlia. Apeou-se todo maneiroso.

— Boas noites.

Colodino parou a viola.

— Dona Júlia, eu queria saber de uma coisa. Quem fez aquele manuê de milho da noite de São João?

— Magnólia...

— Porque eu gostei muito e lá em casa a cozinheira não faz bem. Se fosse possível...

— Se vosmecê arranjar o milho, Magnólia faz, doutor Osório.

— Dá trabalho...

— Só gosto...

Colodino olhava silencioso. Pinicou a viola e a sua voz cortou o silêncio:

Muié traidera...

— Você toca bem, Colodino.

Nem resposta. Osório despediu-se:

— Bem. Boa noite. Pois amanhã mando trazer o milho.

— Pode mandar trazê, coronezinho... Deus lhe acompanhe.

Magnólia não tirava os olhos do chão. A vela que iluminava o são João apagou e acenderam um fifó que fazia as sombras desconformes, fantasmagóricas. Colodino chegava a casa e não conversava. Deitava-se logo, mas não dormia. Os sapos no ribeirão, a chuva no telhado e os roncos de Honório.

O manuê ficou bonito, louro do forno. D. Júlia provou e afirmou que estava de rachar. Magnólia botou o melhor vestido de chita e foi levar. Eu arrumava cachos de banana na copa quando ela entrou.

— Bom dia, Sergipano.

— Bom dia, Magnólia.

— Dona Arlinda está?

— Está.

Mária aparecia:

— Ah! É o manuê de Osório? Entre...

Magnólia entrava. Osório agradecia:

— Quanto lhe devo?

— Não é nada, foi com prazer, seu Osório — e Magnólia fitava o chão e amassava a ponta do vestido.

— Assim não quero... Pelo menos aceite um presente meu...

Voltou do quarto com um embrulho.

— Para pagar o seu trabalho...

Magnólia balbuciava agradecimentos.

— Já vai?

— Já, tenho que fazer em casa...

— Eu vou lhe levar.

Saíram os dois. Osório contando casos. Magnólia ria. Suspendeu o vestido até o meio das coxas para passar o alagadiço de frente da despensa onde os porcos chafurdavam. Osório disse qualquer coisa que a fez corar e baixar o vestido. Magnólia nem se lembrava da rua da Lama.

Há três dias que a chuva não parava. Nós trabalhávamos debaixo de aguaceiros. As barcaças fechadas, o cacau secando nas estufas. Magnólia adoeceu com uma gripe e até remédio Osório mandou buscar em Pirangi. A viola de Colodino calara e ele continuava a serrar madeira. No fim do mês acertou contas com João Vermelho e retirou o saldo.

— Vai sair da fazenda?

— Não. É que tenho que pagar uns negócios...

Magnólia restabelecera-se e na segunda-feira voltaria a trabalhar.

Mas não voltou, nem Colodino também.

Quando, às quatro horas do sábado, Colodino abandonou o serviço, Nilo, que o ajudava, perguntou:

— Onde vai você?

— Vou ali...

Nilo sorriu. Colodino ia ver a noiva. Ela devia estar sozinha, pois d. Júlia trabalhava na juntagem. Mas não estava. Osório fazia-lhe companhia. Na cama tosca os dois não ouviram os passos do carpinteiro. Nilo ouviu gritos. Correu. A cara de Osório cortada, um talho grande. Os óculos rebentados. Colodino surrava-o com o facão. O sangue corria. Nas roças não se ouvia nada. Os gritos de Osório não chegavam até lá. Colodino se cansou, parou de bater, Nilo olhando. Disse:

— É o que você merece, seu xibungo.

Magnólia, de camisa, num canto, era Maria Madalena toda debulhada em lágrimas. Colodino cuspiu:

— Puta.

Nilo saiu com ele.

— Fuja, Colodino. Se esconda na casa do velho Valentim.

O talho do rosto de Osório jamais desapareceu. A rua da Lama engoliu Magnólia e o quadro de são João.

CONSCIÊNCIA DE CLASSE

PELA PRIMEIRA VEZ, DESDE QUE VIVIA NA FAZENDA, fui a Pirangi montado, buscar um médico para ver Osório. Em Pirangi adulteravam o fato de diversas maneiras. Uns garantiam que o coronel fora assassinado, outros juravam que Osório tomara um tiro. Quando o médico saiu, após os curativos necessários, a noite vinha chegando. Mandaram chamar Honório. Na nossa casa o silêncio dominava. João Grilo não contava anedotas nem Honório ria. As roupas de Colodino haviam desaparecido como por encanto. Interroguei com os olhos. João Grilo respondeu num murmúrio:

— Ele está na casa do velho Valentim. De noite cai no mato pra Itabuna e de lá capa o gato…

— Se pegam ele aqui não fica nem rasto.

— Deve ser pra isso que mandaram chamar você, Honório.

— Tão me chamando? — Honório riu. — Já vou. É mió que seja eu quem vá fazer o serviço.

João Grilo e eu sorrimos. Saí com Honório. A conversa na casa-grande foi secreta. Mas quando chegamos em casa Honório nos contou (a sua voz soava de um modo esquisito na escuridão — lembrei-me da voz de Roberto na minha noite de fome em Ilhéus):

— Me pagam quinhentos mil-réis pra dar cabo do Colodino...

— E você?

— Aceitei, ora essa... Quinhentão...

João Grilo riu da sua cama. Honório perguntou:

— Vamo lá?

— Vamo.

A noite escura e nós sem fifó. Fomos às apalpadelas pelo mato. A casa do velho Valentim se escondia atrás das roças. Honório bateu. Valentim acordou:

— Quem é?

— Honório.

Valentim abriu a porta com a repetição na mão. Honório gozou:

— De pau furado, veio?

Entramos. Colodino apareceu e apertou as nossas mãos.

— Para onde você se bota? — perguntei.

— Para o Rio.

— Rio do Braço?— espantou-se João Grilo.

— Não. Rio de Janeiro. Sempre foi meu sonho...

— Como é que você vai fazer isso?

— Enfio na mata, saio em Pirangi, bato na canela até Ilhéus. Lá me escondo na casa do Álvaro. Só saio no dia do navio.

— E a passagem?

— Álvaro trata de tudo. Eu só saio para embarcar...

— Não vá por Pirangi — intervinha Honório. — Algemiro tá tocaiando você na estrada. Vá por Itabuna.

— E não tem gente na estrada de Itabuna?

— É aqui o degas — Honório ria alto com seus dentes alvos, brilhantes.

— Quanto você vai perder, Honório?

— Quinhentão... Mas isso não faz mal...

Colodino nos abraçou e me prometeu:

— Do Rio eu escrevo a você, Sergipano.

— Você tem quento? — interrogava João Grilo.

— Tirei meu saldo no fim do mês.

Honório partiu com a repetição para a tocaia. Colodino apertou-o nos braços longamente. Ele avisou:

— Logo que você teja adiante eu passo fogo. Mas minha pontaria tá ruim agora... O coroné vai me rogar praga como diabo. Mas praga de urubu veio não pega em cavalo novo...

O vulto desapareceu no negror da noite. Algum tempo depois Colodino se despediu. A trouxa no ombro, o fifó na mão, o revólver na cintura. Nós sentíamos o coração apertado. Ia embora aquele de nós que sabia mais, aquele que adivinhava. As corujas nas árvores. O brilho estranho do fifó. A lama da estrada. Ele foi embora. Eu o acompanhei um bom pedaço. Seguíamos calados. Por fim Colodino falou:

— Sergipano, eu vou pro Rio e de lá escrevo. Acho que lá responderão as nossas perguntas.

— Mande carta, Colodino.

Ele retirou qualquer coisa do bolso. Um lenço bordado, trabalho de Magnólia.

— Entregue isso a ela…

— Coitada…

— Eu só tenho pena de não ter matado Osório. Mas aquele talho fica, você não acha?

— Se fica…

Despedimo-nos. Ele seguiu. No meio da noite, gritos de animais. Os sapos coaxavam. Longe ouviu-se um tiro. A luz acesa na sala do coronel apagou-se. Honório tornou à casa, o mesmo sorriso.

— Tão cachorros porque não comi Colodino no chumbo.

— E você?

— Disse que a pontaria errou…

— Por que você não matou Colodino? Porque queria bem a ele?

— Eu gostava de Colodino... Mas eu não queimei o bruto porque ele era alugado como a gente. Matá coroné é bom, mas trabaiadô não mato. Não sou traidô...

Só muito tempo depois soube que o gesto de Honório não se chamava generosidade. Tinha um nome mais bonito: consciência de classe.

PASQUINADA

CONTEI O CASO A ANTONIETA, quando fui a Pirangi. Magnólia andava pela rua da Lama, muito procurada, devido ao seu recém-defloramento.

D. Júlia a amaldiçoara e rogara pragas:

— Deus te amaldiçoe, cadela. Peste, fome e guerra acompanhe tua estrada, égua. Vai te abaixar agora pros machos. Não podia esperar teu noivo, tava com muita pressa... A lepra te grude ao corpo.

E nem uma palavra sobre Osório, que se restabelecia na fazenda. Antonieta teve uma única frase, um comentário, uma definição, que é a melhor pasquinada que eu ouvi até hoje:

— Aquele Osório... aquilo é resto de cristel que cu enjeita...

CORRESPONDÊNCIA

A FAMÍLIA DO CORONEL VOLTOU PARA ILHÉUS nos princípios de julho. Osório restabelecera-se. Apenas o talho no rosto continuava tomando o lado todo. Passaram o Dois de Julho em Pirangi. Houve festança grossa. Mária recitou Castro Alves, e o poeta, amigo de Osório, pronunciou um discurso sobre o analfabetismo. Esse discurso me deu a ideia de reunir algumas cartas de trabalhadores e rameiras para publicar um dia. Depois, já no Rio de Janeiro, relendo essas cartas, pensei em escrever um livro. Assim nasceu *Cacau*. Não é um livro bonito, de fraseado, sem repetição de palavras. É verdade que eu hoje sou operário tipógrafo, leio muito, aprendi alguma coisa. Mas, assim mesmo, o meu vocabulário continua reduzido e os meus camaradas de serviço também me chamam Sergipano, apesar de eu me chamar José Cordeiro.

Demais não tive preocupação literária ao compor essas páginas. Procurei contar a vida dos trabalhadores das fazendas de cacau. Não sei se desvirtuei esse trabalho contando meu caso com a filha do patrão. Mas isso entrou no livro naturalmente, apesar de não ter sido convidado. Um dia talvez eu volte às fazendas de cacau. Hoje tenho alguma coisa a ensinar. Se eu não voltar, Colodino voltará. Agora passemos às cartas:

Carta de Antonieta para mim:

Meu sempre lembrado José. Au longe beijote, porque não veio até aqui hontem, e que já esta esquesendo de mim, não fasa asim meu bem, peso cuazo for posive mandar-me 10$000 mil-réis, pois estou apertada para fazer um pagamento, não tendo outro camarada aqui, como tu sabes, eu sou novata em Pirangi por isto espero que não me leve a mar, i nem também deixe de me servi, da sempre tua. — Antonieta

Bilhete de Zefa para Honório:

Honório:

Honte você passou aqui. Eu fiz piciu e você respondeu com a bunda. É assim mesmo. Quem tem flores dá flores; quem não tem não dá.

Vai o retrato que você me deu.

De a outra. Sempre tua.

Zefa

Carta de Elpídio de Oliveira (trabalhador) para Maria Canota (rameira):

Maria Canota:

estimo quê esta va leencontra comperfeita Saude itodos dilá fique monto satisfeito ensaber no dia 14 di dezembro que você Já tinha aranjado úm novo amante por este motivo mando lidár ús parabes estimo que voce ceja filis no mais estou sempre a Súas orden este que monto lustima apas dideus esteija convose Senpre téu si Voce quizer meescreVer ú endereso é fazenda Fraternidade.

— Elpídio de Oliveira

Carta de Algemiro ao coronel (ditada por Algemiro e escrita por mim):

Coronel Manoel:

Saúde com os seus, na Graça de Deus. Hoje mandei o carneiro e o porco. A guia foi com Agnelo. O safado do Colodino parece que capou o gato mesmo. As roças estão pedindo póda. Desceu um carro de cacau.

Sem mais, tenho a dizer que meu irmão José atirou hontem numa mulher-dama e depois atirou-se em si próprio.

Criado, obrigado, atento, sempre as ordens,

Algemiro

Carta de Colodino para mim:

Rio, 12 de setembro de 193...

Sergipano:

Estou no Rio, já arranjei trabalho. Como vão os camaradas daí? O coronel ficou danado por que Honório não me matou?

Venha embora para cá, Sergipano. Aqui se aprende muito. Tem resposta para o que a gente perguntava aí. Eu não sei explicar direito. Você já ouviu falar em luta de classe? Pois há luta de classe. As classes são os coronéis e os trabalhadores. Venha que fica sabendo tudo. E um dia a gente pode voltar e ensinar para os outros.

Abrace os conhecidos e

Colodino.

Bilhete (ou poema) da Celina para João Grilo:

Meu bensinho eu gosto muinto de voce queridinho eu gosto muinto de voce eu teamo até o fundo, do teu coração voce é muinto bonitiniho? Meu bem eu gosto munto dos teus beijos.
Celina Cordeiro.
dia 20

Pra que alfabetizar essas criaturas se o dr. Luiz Seabra, advogado, escrevia cartas como esta:

Pirangi, 5 de dezembro de 193...

Saudoso e muito querido amigo Sebastião:

É com a alma a regosijar em jubilo, e o coração transbordante de prazer que disponho deste cálamo sagrado, com o fim de dar minhas notícias e ancioso p'ro recebê-las de meu inesquecível amigo de infância.

Cada palavra, e cada frase formada neste momento é tangida por uma recordação dorida, lembrando-me de nossos verdes anos de infância, quando juntos resumíamos nossa vida em brincadeiras pueris. E esta não era ainda agitada pelo borborinho da luta, nem tão pouco assediada pelos revezes e dissabores do destino. Jamais poderá esvair de minh'alma a lembrança e recordação daquele, que muitas vezes serviu-me de alento e lenitivo, e também de exemplo.

Hoje que as distâncias nos separam, mas os espíritos sempre se unem, porque não posso esquecer de ti, e estou certo que tu também faz o mesmo.

E assim, apesar das vicissitudes e aborrecimentos, havemos de galgar passo a passo o Tabor da luta para a conquista de nosso ideal.

Quanto ao teu ideal está quase conquistado, pois daqui a poucos dias unirás pelos laços sagrados de Himeneu, a eleita de teu coração, porque segundo me dizias sempre era a maior cousa que aspiravas na vida...

Eu tenho uma pena danada de ter perdido o resto dessa carta.

GREVE

TENHO QUE VOLTAR ATRÁS PARA DIZER que quando a família do coronel seguiu para Ilhéus eu e Mária estávamos bons camaradas.

Este livro está sem seguimento. Mas é que ele não tem propriamente enredo e essas lembranças da vida da roça eu as vou pondo no papel à proporção que me vêm à memória. Li uns romances antes de começar *Cacau* e bem vejo que este não se parece nada com eles. Vai assim mesmo. Quis contar apenas a vida da roça. Por vezes tive ímpetos de fazer panfleto e poema. Talvez nem romance tenha saído.

Mas como eu ia dizendo, Mária deixou de me humilhar e passou a conversar comigo uma literatura danada. Um bocado de coisas eu não entendia. Ela queria fazer de mim um bom católico e me acenava o lugar de capataz. Eu só pensava nos olhos de Mária e nos seus cabelos louros.

Afinal foram embora. Da classe Mária agitou o lenço para mim.

À noite, eu refleti no caso e me achei besta e cretino. Senti que gostava de Mária e qualquer coisa me dizia que ela não me era indiferente. Mas aquilo lá podia ser... Eu era um trabalhador, simples alugado, com três mil e quinhentos réis por dia, umas calças "porta de loja", unhas sujas e mãos calosas. É verdade que Antonieta se enxodozara por mim. Porém, Antonieta não passava de uma prostituta de última classe. Mária, não. Mária era filha do patrão, do homem mais rico do sul do estado, o rei do cacau, e o menos que podia aspirar se resumia num deputado, com automóveis, palacetes, Rio de Janeiro e viagens ao cabarés da Europa. E o pior é que eu alimentava esperança que ela viesse ser esposa de um trabalhador. Mesmo porque eu me lembrava de Colodino e não queria enriquecer. Ela se quisesse que viesse ser mulher de alugado...

Quando acabei de pensar nisso tudo ri tanto que João Grilo se espantou.

— Maluqueceu, Sergipano?

Eu ria, ria. Juro que não tinha vontade de chorar.

Nilo saíra da fazenda e agora trabalhava para o coronel Domingos Reis, numa propriedade distante. Uns cearenses flagelados alugaram-se a Mané Frajelo e um deles morava conosco. Contava cenas dramáticas da seca. A tragédia do Nordeste não me impressionava mais. A voz do cearense, sim, me impressionava. Uma voz calma, resignada, preguiçosa. Nas horas vagas ele fabricava redes, que vendia por bom preço em Pirangi. Mal chegara e só pensava em regressar.

— Logo que a seca melhore...

A sua viola substituiu a de Colodino. E nós sentíamos saudades do camarada que se fora e que prometera voltar para nos contar o que aprendesse. A nossa esperança crescia:

— Um dia...

O cacau começou a cair. Desvalorizou-se e o coronel andava uma fera. Despediu trabalhadores e nós, que restamos, trabalhávamos como burros. Nos ameaçava com diminuição de salário Os gêneros na despensa subiram de preço. Saldo, adeus. Unicamente Honório conseguia arrancar dinheiro do coronel. Assim mesmo, desde a fuga de Colodino ele se desmoralizara muito. João Vermelho nos tratava com rispidez e Algemiro corria as roças gritando que trabalhássemos mais.

Um dia, por fim, diminuíram os salários para três mil--réis. Eu chefiei a revolta. Não voltaríamos às roças.

Combinamos tudo à noite na casa do velho Valentim, que estava cada vez mais velho, as rugas traçando baixos-relevos no fundo negro do rosto. João Grilo chegou por último. Vinha de Pirangi e quando soube do nosso plano nos desanimou.

— Nem pense... Chegou trezentos e tantos flagelados que trabalha por qualquer dinheiro... e a gente morre de fome.

— Estamos vencidos antes de começar a lutar.

— Nós já nasce vencido... — sentenciou Valentim.

Baixamos as cabeças. E no outro dia voltamos ao trabalho com quinhentos réis de menos.

PARADEIRO

NOS ARRASTAMOS ASSIM ATÉ O FIM DA SAFRA. A crise do cacau parecia não querer acabar. Quando entrou o paradeiro, novas levas de trabalhadores foram dispensadas, ficando apenas os absolutamente necessários para a poda e a limpa das roças. Estávamos ainda mais miseráveis, sujos e esfarrapados, maldizendo a sorte.

Um dia um sujeito veio caiar a frente da casa-grande. Soubemos então que a família do coronel retornava à fazenda, onde se realizariam as magníficas festas comemorativas da formatura de Osório e do noivado de Mária.

O noivado de Mária... Aquele poeta que viera à fazenda pelo são-joão se formara com Osório e pedira a mão de Mária. Ela aceitara e por isso haveria forrobodó grosso. Eu sorri de mim mesmo.

Quando eles chegaram eu estava sentado numa pedra, em frente ao armazém. Outros trabalhadores conversavam. Antônio Barriguinha tangia lá atrás os burros com a bagagem.

— Burro miserável... dianho...

O coronel deu boas-tardes. D. Arlinda nem ligou. O cumprimento de Mária foi dirigido unicamente a mim:

— Como vai, Sergipano?

— Bem, dona Mária.

O noivo e Osório demorariam alguns dias a chegar. Farreavam de beca e de roupa de lista, doutoralmente, pelos prostíbulos elegantes da Bahia.

O sol naquele dia estava bonito de fazer inveja. Os campos lindos com as vacas e as ovelhas. O jardim da casa-grande se abria todo em flores as mais diversas, amarelas e vermelhas, brancas e roxas.

Os cacauais balançavam as folhas, os troncos despidos de frutos mas começando a se cobrir de flores. O cabelo louro de Mária lembrava o ouro dos cocos maduros de cacau.

Fui novamente posto à disposição. E de tarde Mária me avisou:

— Eu quero falar com você.

— ...

— Aqui não. Vamos para baixo da jaqueira.

Fomos. Silenciosos, eu amedrontado. Mária colhia malmequeres pelo caminho. Sentou-se:

— Estou noiva, sabe?

— Parabéns.

— É só isso que tem a me dizer?

Aquilo era provocação. Disse tudo, então. Amaldiçoei o cacau e a mim mesmo. Ela perguntou apenas:

— E agora?

Diante do meu silêncio, confessou baixinho:

— Eu também gosto de você. Você é homem... O meu noivo é um simples almofadinha...

Não sei se foi ilusão. Mas o gosto dos lábios de Mária lembrava o gosto proibido do mel dos caroços de cacau. Quantos beijos foram, não sei também...

— E agora? — ela perguntava de novo.

— Eu sou alugado. Ganho três mil-réis por dia.

— Deixe disso.

Mostrou-se mulher forte.

— Faremos o irremediável. Papai subirá às nuvens mas não tem jeito. Se conformará... Lhe dará uma roça, você será patrão.

Curvei a cabeça fitando o chão. Amassava folhas com a mão. Longe, pela estrada, Honório passou com a foice no ombro. Me decidi:

— Não, Mária. Continuo trabalhador. Se você quiser ser mulher de alugado...

Fez um muxoxo e levantou-se. Eu fiquei sentado.

Pura coincidência, naquele dia chegou outra carta de Colodino para mim. Tornava a falar em luta de classe e me chamava. Acertei minhas contas com João Vermelho, retirei cento e oitenta mil-réis, saldo de dois anos, e arrumei minha trouxa.

AMOR

NO OUTRO DIA ME DESPEDI DOS CAMARADAS. O vento balançava os campos e pela primeira vez senti a beleza ambiente.

Olhei sem saudades para a casa-grande. O amor pela minha classe, pelos trabalhadores e operários, amor humano e grande, mataria o amor mesquinho pela filha do patrão. Eu pensava assim e com razão.

Na curva da estrada voltei-me. Honório acenava adeus com a mão enorme. Na varanda da casa-grande o vento agitava os cabelos louros de Mária.

Eu partia para a luta de coração limpo e feliz.

Pirangi, dezembro de 1932
Aracaju, fevereiro de 1933
Rio de Janeiro, junho de 1933

posfácio

O marxismo nas roças de cacau

José de Souza Martins

Nos últimos momentos de *Cacau*, José Cordeiro, o Sergipano, a personagem que narra a história em primeira pessoa, o trabalhador alugado da fazenda de Mané Frajelo, é beijado por Mária, filha do coronel, embaixo da jaqueira. Ela lhe propõe ficarem juntos. Toda a família do fazendeiro viera de Itabuna para anunciar e festejar o noivado da moça com um dos amigos de Osório, seu irmão, um poeta e bacharel recente. José Cordeiro resiste, em nome da enorme diferença social que os separa: ele, um alugado; ela, filha de um coronel do cacau. Ela, dividida entre passar o resto da vida com um simples almofadinha ou com um homem como ele; ele, dividido entre passar o resto da vida como um estranho na cama e na vida da filha do fazendeiro ou com alguém de sua própria classe social.

José Cordeiro encerra a narrativa, do que dá a entender serem as suas memórias, declarando seu amor à classe operária: "O amor pela minha classe, pelos trabalhadores e operários, amor humano e grande, mataria o amor mesquinho pela filha do patrão". Já estava na estrada, pedira a conta, recebera seu saldo e partia para o Rio de Janeiro.

Lá sua classe social era real, viva e ativa, supunha ele, baseado nas ideias e nas cartas de Colodino, seu amigo, que, como ele, fora alugado nas roças de cacau de Mané Frajelo. Tivera de fugir depois de um atentado contra Osório, filho do patrão, cujo rosto lanhara com uma peixeira, ali deixando para sempre a cicatriz de seu ódio de classe. A passagem literária é densa e questionadora, sobretudo para a própria classe social de Jorge Amado, filho de um fazendeiro de cacau, que propõe ao leitor de uma geração de românticos a incômoda consciência das determinações de classe do amor. O amor entre os de diferentes classes sociais não une porque classe social separa.

O Sergipano tem uma trajetória social peculiar, literalmente onírica. Era filho de um industrial do Sergipe, que se preocupava mais com a música e com o amor do que com o lucro, um burguês que morre tocando piano. A viúva e os filhos então descobrem que o cunhado e tio, que fora ajudado pelo irmão, usurpara a fábrica, deixando-os na miséria. Tem início a trajetória de trabalhador de José Cordeiro, que é também uma trajetória de confinamento nos espaços degradados dos excluídos pela sociedade. É o que lhe permite construir uma biografia que o leva da burguesia ao proletariado, exatamente o contrário da ideologia dominante, muito forte na época e muito questionada pelo Partido Comunista, a da ascensão social pelo trabalho, que se robusteceria na era Vargas, que estava começando. Num certo sentido, as trajetórias sociais em Cacau são elaborações simbólicas de mortes e nascimentos, de ressurreições impossíveis, de destinos selados. Neste romance, a sociedade é um labirinto de muralhas, de interdições, de segmentações e de buscas utópicas.

Aos jovens socialmente bem-nascidos, de vários modos alcançados pelas grandes crises, econômicas, sociais e políticas, quando os modos sociais de ser caducam, os horizontes se estreitam, as certezas declinam, só resta escalar essas muralhas para encontrar do outro lado os demiurgos, os autores potenciais da história e das transformações sociais. Ali estava a classe operária emergente, autora da história mais nas ideias e teorias do que na prática, pois capturada pelos mecanismos de dominação do novo poder que nascia. Antes que a própria classe operária descobrisse que era a personagem das grandes mudanças possíveis, foram os intelectuais que disso se deram conta, justo eles, cuja situação híbrida de classe os torna politicamente estéreis. O que não os priva da competência única para ver além do presente e do visível e os torna criativos e inventivos, na literatura e na arte, modo mais universal e duradouro de traduzir a circunstância em consciência social e histórica.

De vários modos, a fantasia de um José Cordeiro reaparece com frequência na ingênua ficção dos jovens intelectuais deste país que sonham trair sua classe social de origem para se alistar nas fileiras do proletariado, de cuja exploração vêm os meios abundantes de seu bem-estar e de seu devaneio. Como acontecia com Engels, o parceiro intelectual e político de Karl Marx. Nutrem-se da curiosa suposição antidialética de que sem eles o proletariado não encontrará o caminho da sua verdade histórica e não se encontrará com sua consciência de classe. No fundo, o horizonte dessa intelectualidade orgânica não difere muito da visão de mundo dos senhores de escravos e de seus sucessores, porque vem da mesma matriz de ideias e de referência: o mundo da sociedade tradicional e hierárquica dos coronéis é o mundo da tutela, do paternalismo e do dirigismo.

Nem por isso a ficção é menos real. Em *Cacau*, Jorge Amado expressa os anseios de sucessivas gerações de transformar o Brasil em outro país. Como Jorge Amado, sua personagem José Cordeiro imagina que uma força nova de mudança e transformação nasce gloriosa nas ruínas sociais da exploração do trabalho e com certeza se materializará na palavra que ele não pronuncia em nenhum momento: comunismo. Mas que está lá, todo o tempo, nas entrelinhas de um saber não sabendo que atormenta o Sergipano. De vários modos, este livro de Jorge Amado, ainda que ficção, é uma das primeiras e significativas expressões de uma nova maneira de ver e compreender o Brasil, remetida deliberadamente para os fundamentos sociais e os dilemas da nacionalidade, que aparecem com vigor, nessa época, em Mário de Andrade, em Gilberto Freyre, em Oliveira Viana, em Graça Aranha, em Caio Prado Júnior, em Sérgio Buarque de Holanda. Quase sempre, autores originários da elite que rompem com a geração anterior na busca de uma compreensão do Brasil, autores que se empenham em decifrar os enigmas da sociedade e da alma brasileiras em face das grandes rupturas e transformações sociais em curso.

Cacau é o roteiro para se percorrer arqueologicamente nosso pensamento de esquerda, que emergira, em 1922, com a fundação do Partido Comunista do Brasil. Imaginário demarcado por uma trajetória de vicissitudes políticas e ideológicas até chegar à calmaria do beco sem saída em que nos encontramos como nação nos dias atuais, com a própria esquerda perdida em práticas e projetos políticos e sociais conservadores e até de direita. *Cacau* é, em termos históricos, a prefiguração das nossas fantasias sociais e políticas, as que vão presidir, nas suas simplificações, a postura de esquerda de sucessivas gerações; que expressam os equívocos teóricos e políticos de que decorrem. São as dificuldades e enganos relativos à compreensão do que é a sociedade brasileira, nas suas singularidades e nas suas determinações históricas, em função dos próprios e imensos dilemas das teorias derivadas do pensamento de Marx, expresso numa obra complexa, fragmentária e inacabada.

Cacau é um romance datado, uma obra de sua época, uma das expressões possíveis de compreensão do Brasil a partir da Revolução de Outubro de 1930, que pôs o país em uma direção, e muitos intelectuais e militantes políticos em outra. A Revolução abriu um leque de possibilidades históricas, reconheceu-se impossível sem incorporar ao cenário político o operariado, o novo sujeito social que latejava nas reivindicações justas e nas greves, que pedia um capitalismo social, que não tivemos então e acabaríamos não tendo. A Revolução de Outubro não levou o país para a esquerda; levou-o para o organicismo de direita, que pôs o conflito social sob tutela do Estado, arranjo que até hoje nos regula politicamente. Até o ponto em que um trabalhador e um partido de trabalhadores, ao chegarem ao poder, não têm como se mover senão na lógica própria dessa prisão histórica. *Cacau* é o romance de um imaginário do possível, não necessariamente do provável, mas de um possível concebido de modo esquemático, nos limites do marxismo então acessível a quem queria pensar a revolução socialista e a transformação social.

Jorge Amado propõe no livro uma linha de interpretação literária do Brasil: a de tomar os contrastes e desencontros sociais do país como referência para o propriamente dramático. Os dilemas existenciais e do intimismo, da tradição romântica, já não podem ser vistos nem compreendidos senão no marco dos dilemas sociais. Embora seja um livro-piloto no conjunto da obra do autor, elenco de tematizações que se repetirão em outros livros, como desdobramento de virtualidades temáticas nele contidos, é em *Cacau* que essa interpretação se anuncia e se complica. Nele, as contradições do país aparecem numa estereotipação das relações sociais e num entendimento binário das desigualdades sociais, as que abrem um imenso abismo entre ricos e pobres.

Como se trata de obra literária, mais do que descrever sociologicamente os tipos humanos, o autor deve expor seus dilemas existenciais, os horizontes, os impasses, pintar-lhes o retrato, dar-lhes cores, fisionomia, vestes e modos. Os ricos deste livro de Jorge Amado são gordos e bem-vestidos; os pobres, magros e malvestidos, não raro maltrapilhos. Seus ricos estão, quase todo o tempo, comendo e comendo demais ou mandando e mandando demais; seus pobres estão todo o tempo limitados a comer feijão com carne-seca — ou passando fome — e a obedecer e silenciar. Seus ricos estão todo o tempo abusando das filhas dos pobres e trabalhadores, preâmbulo de um destino degradante no prostíbulo da rua da Lama ou, na colonial São Cristóvão, do Sergipe, gestando filhos de patrão para encher o orfanato das religiosas. Os ricos de *Cacau* são alvos na cor da pele, e Jorge Amado prudentemente não os denomina "brancos"; os pobres são mulatos ou negros. Para compreender essas polarizações, José Cordeiro tem apenas duas palavras, e palavras impolíticas: ódio e amor. Na luta de classes, odeiam-se os diferentes e amam-se os iguais. Para que um rico, ou um intelectual, milite na causa dos pobres, não há alternativa a não ser travestir-se de pobre, encarnar-se na pobreza, converter as relações de classe em teatro e reduzir a política à encenação. Pensando bem, nada mudou até nossos dias. Este é o nosso enredo político: parecer mais do que ser.

O leitor de *Cacau* pode estranhar, com razão, que o autor, ainda que com dúvida anunciada logo na primeira página, tenha pretendido escrever um romance proletário e no entanto descreva uma trama de relações de exploração e sujeição próprias da escravidão. Os trabalhadores do cacau se envergonham de ser chamados de "alugados". Eles sabem o que isso significa, pois era o nome que se dava aos escravos de ganho, no tempo da escravidão negra, alugados por seus senhores para trabalhar para terceiros, arrendados como animais de carga.

Convém ter em conta que Jorge Amado escreve o livro apenas 45 anos depois da abolição da escravatura, com cerca de vinte anos de idade, e que portanto convivera com pessoas educadas no ambiente e na mentalidade do regime escravista. Em *Cacau*, o neoescravismo da servidão por dívida, em que vivem os alugados das roças de cacau, é escamoteado no ideário de esquerda que, com dificuldade, enquadra o trabalhador cativo nas referências de uma ideologia socialista fundada em outro sujeito histórico: a classe operária propriamente dita. Nesse aparente engano de Jorge Amado está um dos grandes problemas históricos e políticos da história social brasileira que se anuncia em 1888, com o fim da escravidão. A elite pensante, querendo-se moderna, recorre ao referencial teórico da modernidade para situar e compreender desigualdades que são mais que desigualdades econômicas e sociais: são desigualdades decorrentes de uma história social de lentidões, povoada por uma multidão de retardatários, usufruída no seu atraso e em recriadas relações sociais atrasadas pelo capital,

que cria as possibilidades do novo e da modernização na sobre-
-exploração de formas arcaicas de trabalho.

Esse mesmo equívoco está lá em *Os sertões*, do republicano
Euclides da Cunha, na suposição de que em Canudos (1896-7) estava a nossa Vendeia, de que ali o Exército realizava a versão cabocla
da Revolução Francesa e combatia o campesinato monarquista e
reacionário para defender a República e impor o mundo moderno.
Nem se deu conta o grande escritor — que usava camisas de seda
no próprio cenário da guerra cruenta — de que a insurgência de
Canudos anunciava não o passado mas o imaginário de um futuro
possível na monarquia do Divino Espírito Santo, a utopia de um
mundo farto, alegre e justo. Não o mundo que se fora com a deposição do imperador, como por equívoco supunham os militares, mas
o mundo novo da supressão das iniquidades sociais. Sobrevivência
das ideias de Joaquim da Fiore, que no século XII descobrira o caráter trinitário da história e o caráter histórico do progresso. A utopia
joaquimita é a utopia da superação, e não a utopia do retrocesso.
Hegel e Augusto Comte foram joaquimitas, e de fundo joaquimita
são as grandes teorias de interpretação do mundo moderno, de vários modos voltadas para os impasses sociais na superação do presente. *Os sertões* e *Cacau* não estão livres dessa filiação e dessas
determinações históricas. O joaquimismo se difundiu entre nós
através das festas do Divino e das folias do Divino como a forma
consumada da esperança popular, fundamento dos nossos movi-
mentos milenaristas e messiânicos. Reapareceria na Guerra do
Contestado, em Santa Catarina (1912-6). Já levara o padre Antonio
Vieira, joaquimita e sebastianista, no século XVII, às barras do Tribu-
nal da Inquisição. A figuração de um mundo novo nos anseios po-
pulares sempre foi tratada, entre nós, a ferro e fogo.

Se na tecelagem do pai de José Cordeiro — depois usurpada pelo
tio —, em São Cristóvão, a relação salarial característica não deixava
dúvida quanto à contratualidade da relação de trabalho com as operárias e quanto à crueza da exploração de que eram vítimas, nas ro-

ças de cacau de Mané Frajelo uma engenharia social particular assegura trabalho e disciplina a preço ínfimo, no limite da própria sobrevivência. No cacau, como na cana-de-açúcar, como na borracha, como no café, na mesma época, a escravidão dera lugar a regimes de trabalho ainda muito distantes do regime propriamente salarial, baseado no trabalho livre e em relações igualitárias e contratuais entre a empresa e o trabalhador. Ao contrário, criou-se no Brasil uma nova escravidão: a chamada servidão por dívida ou o regime do barracão. Esse é, de fato, o tema de *Cacau*. O Brasil dividido de Jorge Amado quer, portanto, acertar contas com o passado que persiste e as injustiças que carrega.

Dois grandes problemas são personagens ocultos deste livro. De um lado, o caráter servil das relações de trabalho, não só nos cacauais da Bahia, mas nos canaviais do Nordeste, nos seringais da Amazônia e nos cafezais de São Paulo. Confinados em habitações miseráveis, os alugados de Mané Frajelo têm com ele uma relação de trabalho que é uma relação de servidão. Não recebem salário, endividam-se na despensa da fazenda — o que nos seringais era o barracão e dava lugar ao regime de aviamento — ao fazer a retirada das mercadorias de que necessitam para sobreviver. Após a colheita e a comercialização da safra de cacau (em outros lugares, a de borracha ou a de café) saberão quanto valeu seu trabalho já feito e conhecerão o saldo, o crédito do valor desse trabalho, deduzidas as despesas. Descobrirão que o saldo é quase sempre pouco, muitas vezes nulo ou mesmo negativo. Era a forma de baratear e segurar nas roças os trabalhadores de que a fazenda necessitava, evitando o jogo da oferta e da procura do mercado de trabalho na fixação dos salários. José Cordeiro não sabia, mas desconfiava, que o encarregado da despensa manipulava preços para manter os trabalhadores endividados. Manipulava os preços das mercadorias vendidas, sempre acima dos preços de mercado, para que o trabalhador ficasse devendo. Diabólico ardil que fazia com que o vendedor de força de trabalho aparecesse à própria consciência como comprador de mercadorias, não como recebedor de salário, que dá ao assalariado a liberdade de comprar; não como trabalhador e credor, e sim como devedor, obrigado a fazer suas compras na despensa do patrão. A relação produtiva se propunha escamoteada à sua consciência, como relação comercial. Não podia, assim, conceber-se como produtor de riqueza em mão alheia, e sim como comprador de coisas de mão alheia, devedor de créditos e favores, sujeito de vontade alheia, e não sujeito da própria vontade. Legal e oficialmente, o regime de barracão era definido como regime de empreitada, trabalho por tarefa. Mas, social e sociologicamente, propunha-se à consciência do trabalhador como o contrário de uma relação de trabalho, na sua forma comercial de relação de endividamento.

Aos olhos de hoje, essa é uma das razões pelas quais o potencial revolucionário de José Cordeiro é apenas miragem e ficção. Naquelas relações de trabalho, não podia surgir uma consciência de classe; quando muito o ódio, a consciência sem projeto. Não é à toa que sua consciência social não se traduz em ação política, mas em fuga, na ida definitiva para o Rio de Janeiro, capital política do país, onde as coisas acontecem e a consciência política se liberta das limitações do mundo tosco do cacau (da cana, da borracha, do café). Mas no Rio de Janeiro a consciência de classe é inútil, porque postiça, porque consciência literária de uma classe social de referência, mas sem classe social de vivência. Num certo sentido, José Cordeiro é prisioneiro de um dilema: o doce cativeiro nos braços de Mária, como genro de quem era literalmente um senhor de escravos, ou o cativeiro de uma ideologia desenraizada.

Ao término do livro, não sabemos propriamente o que aconteceu a José Cordeiro e ao seu amor ao proletariado. Sabemos apenas que ele se torna tipógrafo — como Machado de Assis —, o que lhe permite a conciliação da condição de intelectual e de trabalhador, profissão liminar e romântica de onde saíram muitos militantes da causa operária. Nem por isso deixamos de saber o essencial que há nos imponderáveis da trama de dilemas que ao fim do livro tiram

José Cordeiro da zona cacaueira e o tiram do livro. Dupla partida que decorre de um enredo que não se consuma.

Cabe ao leitor refletir e imaginar a sequência da história já fora do livro, a partir dessa ambiguidade fundante do texto desde o começo, a duplicidade da situação de classe tanto da personagem quanto do autor. Jorge Amado põe o leitor dessa sociedade indecisa diante da inevitabilidade da decisão. O que era e continua sendo muito próprio da pedagogia política da esquerda, também, curiosamente, da pedagogia religiosa de seitas e igrejas do missionarismo evangélico que se disseminou entre nós a partir sobretudo da segunda metade do século XIX. Coincidência que o cientista político Seymour M. Lipset constataria muito tempo depois em pesquisa realizada na Suécia, expressão de uma convergente estrutura de personalidade entre comunistas e protestantes. No nosso caso, pedagogia própria da difusão de ideias novas num cenário de ideias velhas já enrijecidas, daí os traços comuns de novas ideologias políticas e de novas religiões.

De outro lado, o comunismo emocional e limitante de *Cacau* é também personagem oculto do livro e problema que desafia o leitor de hoje, embora não desafiasse o leitor de 1933. Assim como José Cordeiro parte para o Rio de Janeiro em busca de luzes onde estas existem, assim também Jorge Amado vivia esse deslocamento esclarecedor quando escreveu o livro. Mudara da Bahia para o Rio de Janeiro em 1930, o ano da Revolução. Naquele momento, mesmo que quisessem, nem Jorge Amado nem os comunistas estavam em condições de compreender, em termos marxistas estritos, a complexa teia de contradições em que se moviam os socialmente descontentes de então.

Uma parte importante da obra de Marx permanecia inédita, e seus livros fundamentais para compreender a realidade social e política de países como o Brasil ainda não estavam disponíveis. Era o caso dos *Grundrisse*, os três densos volumes que precedem *O capital* e que demarcam sua temática, ao situá-la historicamente. O próprio Marx nunca conheceu a versão de *O capital* em três volumes organizada por colaboradores após sua morte, o mais importante dos quais, porque melhor conhecedor de suas ideias, foi Friedrich Engels, praticamente seu interlocutor cotidiano por muitos anos. À luz dos *Grundrisse*, *O capital* teria permitido a melhor compreensão de realidades sociais e históricas como a latino-americana e brasileira do tempo em que Jorge Amado escreveu *Cacau*. Como ainda hoje.

Os três volumes "oficiais" de *O capital* subentendem o capitalismo mais desenvolvido dos países europeus da época, em que a produção já estava organizada com base na completa e real sujeição do trabalho ao capital. Diferentemente do nosso caso, em que, quando *Cacau* foi publicado, apenas 45 anos nos separavam do fim da escravidão negra e, portanto, de relações de trabalho não capitalistas, ainda que orientadas para uma forma tosca de reprodução ampliada do capital. Uma contradição estranha ao fluxo interpretativo de *O capital*, de cujo texto foram descartados os elementos relativos ao desenvolvimento desigual do capitalismo, em favor de uma concepção unilinear de desenvolvimento igual — como alerta, aliás, o sociólogo e pensador francês Henri Lefebvre, um dos melhores conhecedores da obra completa de Marx.

Nessa época, ainda não se tinha divulgado o chamado *Capítulo VI inédito de* O capital, pequeno livro que deveria ser situado entre os tomos primeiro e segundo do livro, que muda de modo significativo a compreensão da teoria do desenvolvimento capitalista de Marx. Ou seja, os comunistas e os principiantes, como Jorge Amado, não tinham conhecimento teórico e propriamente marxista da teoria de Marx relativa ao desenvolvimento desigual do capital e, portanto, à gestação ou refuncionalização das relações sociais não capitalistas, pretéritas em relação ao tempo que é propriamente o da reprodução capitalista do capital. Justamente o que ocorria no Brasil e na sociedade do cacau.

Essa ausência é que faz José Cordeiro reconhecer, nas roças de cacau de Mané Frajelo e dos outros coronéis, um proletariado em conflito com o capital onde esse proletariado não existe. Nas relações servis dos alugados, sem dúvida havia exploração do trabalho pelo capital, mas não exploração capitalista do trabalho pelo capital. E isso faz muita diferença para o que José Cordeiro é e aquilo que pensa que é. Esse impasse enche o Sergipano de uma angústia histórica que se expressa numa certa falta de convencimento do autor em relação à personagem. O marxismo limitado do escritor é que responde pelos dilemas e insuficiências do alugado. A realidade social iníqua do cacau gera desdobramentos no amadurecimento intelectual e político de Jorge Amado e se manifestará em outras de suas obras, à medida que o próprio marxismo se libertar de censuras e desconhecimentos e à medida que o escritor se libertar do marxismo que fora instrumentalizado, sobretudo pelo stalinismo, como ideologia do poder soviético. Suas personagens se emancipam à medida que o próprio Jorge Amado se emancipa politicamente e deixa que as ricas figuras humanas da sociedade do cacau exponham, através da sua pena, sua riqueza literária e social.

Mas o aspecto principal desse marxismo limitante, porque limitado, está também no fato de desconsiderar que a relação entre a sociedade do cacau e o capital se dá por meio da renda da terra. A terra convertida em monopólio de classe se torna fator problemático do retardamento das relações de trabalho salariais, e autenticamente capitalistas, e de prolongamento e sobrevivência de arcaísmos sociais e culturais, mesmo com a expansão do capitalismo propriamente dito. Quando foi ficando evidente que tanto a realidade do mercado de produtos agrícolas originários do mundo colonial quanto a realidade política das relações de trabalho salarial e livre no mundo da metrópole afetariam a escravidão em países como o Brasil, o Parlamento brasileiro tomou medidas conservadoras para mudar o regime de propriedade da terra em conexão com as mudanças previstas no regime de trabalho, de modo a não prejudicar o que ainda era a economia colonial de exportação.

Não é casual que apenas alguns dias separem a aprovação da Lei de Terras, em 1850, da aprovação da lei que proibia em definitivo o tráfico negreiro para o Brasil. A criação de um regime de propriedade absoluta, do qual desaparecia a separação jurídica entre a posse privada da terra e seu domínio pelo Estado, criava um monopólio de classe sobre o território. Assim, o trabalho na lavoura e na indústria extrativa poderia deixar de ser trabalho escravo para se tornar uma variante da chamada renda em trabalho. Com o novo regime de propriedade, ao pobre só restava trabalhar para os donos de terra, já que só poderia ter acesso à terra própria mediante compra, se pudesse formar pecúlio com as economias do próprio trabalho, como afirmou no Senado o fazendeiro Antônio da Silva Prado, um dos maiores produtores de café do Brasil.

É no marco do novo regime de trabalho pós-escravista que os alugados de Mané Frajelo, além de trabalhar nas roças de cacau, têm de pagar ao coronel pelo que comem em vez de receber dele o justo pagamento pelo que trabalham. O fazendeiro não aparece à consciência social como comprador de força de trabalho, mas como vendedor de mercadorias. Não sendo livre o salário, livre no seu uso, só nominalmente o trabalho se torna livre. Desse modo o valor do trabalho deixa de ser o seu real valor, aquele que se realiza no mercado quando a mercadoria produzida é vendida, para se reduzir ao meramente necessário à subsistência do trabalhador. Uma das grandes dificuldades em relação à obra de Marx está no fato de que ele morreu antes de concluir a análise da renda da terra e suas variantes, um dos pilares da estrutura trinitária do capitalismo: renda da terra, capital e salário. São essas as formas profundamente diferentes entre si de repartição e apropriação da riqueza criada na produção pelo trabalho: diferentes personificações de classe social, na mentalidade, no modo de vida, na visão de mundo.

No geral, os comunistas de certa época, como a de Jorge Amado quando escreveu *Cacau*, tinham lido, de preferência ou apenas, o *Manifesto comunista*, de um período inicial da obra teórica de Marx e Engels. Ora, o *Manifesto* propõe uma leitura binária da realidade social, como a que Jorge Amado faz e José Cordeiro, o Sergipano, vive e representa: ricos e pobres, maus e bons, ódio e amor. É justamente por isso que o Sergipano constitui um personagem inacabado, protagonista de uma percepção incompleta e imperfeita das desigualdades sociais.

O flagelo de Mané Frajelo não está apenas na negação do trabalho e do proletário. Está na negação do capital, que ele é obrigado a viver sem compreender, porque na sua maldade e na sua prepotência fala o proprietário de terra e titular de renda fundiária, o representante de um monopólio sobre uma porção do planeta, um senhorio absoluto e prepotente que se traduz na dominação violenta sobre seus trabalhadores, como se gente fosse gado. Personagem que cala a outra personagem que se acomoda mal no seu corpanzil, o próprio capitalista, cuja existência social depende não de uma relação de sujeição, mas de uma relação contratual e salarial com quem para ele trabalha e produz sua riqueza. Mané Frajelo arranca lucros e ganhos de seus alugados como proprietário de terra, e não como capitalista.

O capitalista que Jorge Amado vê em Frajelo é um falso capitalista, uma figura pré-moderna que não sobrevive senão à custa da tirania, da chibata e do jagunço. Falso capitalista, sobretudo, porque não se vê nem se realiza como personificação do capital, como funcionário do capital produtivo, como agente de sua lógica e de seus riscos. Ao contrário, Mané Frajelo se vê como senhor da terra, que ganha dinheiro não como administrador da impessoalidade do capital, mas à base de extorsão, como um tributo cobrado de quem trabalha, privando seus trabalhadores não só do que corresponde ao lucro do capital na roça investido, à reprodução ampliada do capital, que constitui a exploração capitalista do trabalho, mas daquela parte da riqueza produzida pelo trabalho que corresponde ao necessário à reprodução do próprio trabalhador, ao salário. Frajelo representa a negação do capitalismo no uso predatório que faz do trabalho e do trabalhador.

Nesse sentido, o romance de Jorge Amado não é a rigor um romance proletário. É um romance sobre os dilemas de compreensão da realidade social de uma época de transição, em que se debatiam os intelectuais de seu tempo, os filhos-família que viviam, também eles, o fim de uma época que começara a acabar quando a escravidão negra terminou. Não é um romance proletário porque o capitalismo verdadeiramente salarial enreda o trabalhador numa trama contraditória de transformações e repetições, de mudanças e permanências, anuncia a possibilidade de superação do presente iníquo, mas o atrela ao poder do passado, anuncia a promessa de uma sociedade nova, mas propõe o repetitivo suor do rosto como preço a pagar por uma práxis de transformação. Desde então, e até hoje, os intelectuais que optaram por identificar-se, em sua arte, com os fracos e oprimidos vivem o tormento de consciência de falar por quem eles não são, a fala que compensa o desconhecimento da práxis, com os sutis refinamentos do belo, por meio dos quais o que não tem sentido ganha sentido nas elaborações estéticas e literárias do sonho e da esperança. Na figura sofrida, insubmissa e esperançosa de José Cordeiro, o jovem Jorge Amado sonhava o sonho da revolução.

José de Souza Martins é professor titular aposentado do departamento de sociologia da Faculdade de Filosofia, Letras e Ciências Humanas da Universidade de São Paulo e dela professor emérito. *Fellow* de Trinity Hall e professor titular da Cátedra Simón Bolívar da Universidade de Cambridge (1993-4). É autor de, entre outros livros, *Florestan — Sociologia e consciência social no Brasil*.

cronologia

Cacau se passa provavelmente entre o final da década de 1920 e o início da de 1930. Nesse momento, a crise financeira internacional, o esgotamento do solo após meio século de cultivo e a inexistência de linhas de crédito específicas levaram à desvalorização do cacau. Esse fato acirrou a exploração dos camponeses "alugados" pelos coronéis, que é justamente a tensão central do livro.

1912-1919

Jorge Amado nasce em 10 de agosto de 1912, em Itabuna, Bahia. Em 1914, seus pais transferem-se para Ilhéus, onde ele estuda as primeiras letras. Entre 1914 e 1918, trava-se na Europa a Primeira Guerra Mundial. Em 1917, eclode na Rússia a revolução que levaria os comunistas, liderados por Lênin, ao poder.

1920-1925

A Semana de Arte Moderna, em 1922, reúne em São Paulo artistas como Heitor Villa--Lobos, Tarsila do Amaral, Mário e Oswald de Andrade. No mesmo ano, Benito Mussolini é chamado a formar governo na Itália. Na Bahia, em 1923, Jorge Amado escreve uma redação escolar intitulada "O mar"; impressionado, seu professor, o padre Luiz Gonzaga Cabral, passa a lhe emprestar livros de autores portugueses e também de Jonathan Swift, Charles Dickens e Walter Scott. Em 1925, Jorge Amado foge do colégio interno Antônio Vieira, em Salvador, e percorre o sertão baiano rumo à casa do avô paterno, em Sergipe, onde passa "dois meses de maravilhosa vagabundagem".

1926-1930

Em 1926, o Congresso Regionalista, encabeçado por Gilberto Freyre, condena o modernismo paulista por "imitar inovações estrangeiras". Em 1927, ainda aluno do Ginásio Ipiranga, em Salvador, Jorge Amado começa a trabalhar como repórter policial para o *Diário da Bahia* e *O Imparcial* e publica em *A Luva*, revista de Salvador, o texto "Poema ou prosa". Em 1928, José Américo de Almeida lança *A bagaceira*, marco da ficção regionalista do Nordeste, um livro no qual, segundo Jorge Amado, se "falava da realidade rural como ninguém fizera antes". Jorge Amado integra a Academia dos Rebeldes, grupo a favor de "uma arte moderna sem ser modernista". A quebra da bolsa de valores de Nova York, em 1929, catalisa o declínio do ciclo do café no Brasil. Ainda em 1929, Jorge Amado, sob o pseudônimo Y. Karl, publica em *O Jornal* a novela *Lenita*, escrita em parceria com Edson Carneiro e Dias da Costa. O Brasil vê chegar ao fim a política do café com leite, que alternava na presidência da República políticos de São Paulo e Minas Gerais: a Revolução de 1930 destitui Washington Luís e nomeia Getúlio Vargas presidente.

1931-1935

Em 1932, desata-se em São Paulo a Revolução Constitucionalista. Em 1933, Adolf Hitler assume o poder na Alemanha, e Franklin Delano Roosevelt torna-se presidente dos Estados Unidos da América, cargo para o qual seria reeleito em 1936, 1940 e 1944. Ainda em 1933, Jorge Amado se casa com Matilde Garcia Rosa. Em 1934, Getúlio Vargas é eleito por voto indireto presidente da República. De 1931 a 1935, Jorge Amado frequenta a Faculdade Nacional de Direito, no Rio de Janeiro; formado, nunca exercerá a advocacia. Amado identifica-se com o Movimento de 30, do qual faziam parte José Américo de Almeida, Rachel de Queiroz e Graciliano Ramos, entre outros escritores preocupados com questões sociais e com a valorização de particularidades regionais. Em 1933, Gilberto Freyre publica *Casa-grande & senzala*, que marca profundamente a visão de mundo de Jorge Amado. O romancista baiano publica seus primeiros livros: *O país do Carnaval* (1931), *Cacau* (1933) e *Suor* (1934). Em 1935 nasce sua filha Eulália Dalila.

1936-1940

Em 1936, militares rebelam-se contra o governo republicano espanhol e dão início, sob o comando de Francisco Franco, a uma guerra civil que se alongará até 1939. Jorge Amado enfrenta problemas por sua filiação ao Partido Comunista Brasileiro. São dessa época seus livros *Jubiabá* (1935), *Mar morto* (1936) e *Capitães da Areia* (1937). É preso em 1936, acusado de ter participado, um ano antes, da Intentona

Comunista, e novamente em 1937, após a instalação do Estado Novo. Em Salvador, seus livros são queimados em praça pública. Em setembro de 1939, as tropas alemãs invadem a Polônia e tem início a Segunda Guerra Mundial. Em 1940, Paris é ocupada pelo exército alemão. No mesmo ano, Winston Churchill torna-se primeiro--ministro da Grã-Bretanha.

1941-1945

Em 1941, em pleno Estado Novo, Jorge Amado viaja à Argentina e ao Uruguai, onde pesquisa a vida de Luís Carlos Prestes, para escrever a biografia publicada em Buenos Aires, em 1942, sob o título *A vida de Luís Carlos Prestes*, rebatizada mais tarde *O cavaleiro da esperança*. De volta ao Brasil, é preso pela terceira vez e enviado a Salvador, sob vigilância. Em junho de 1941, os alemães invadem a União Soviética. Em dezembro, os japoneses bombardeiam a base norte-americana de Pearl Harbor, e os Estados Unidos declaram guerra aos países do Eixo. Em 1942, o Brasil entra na Segunda Guerra Mundial, ao lado dos aliados. Jorge Amado colabora na *Folha da Manhã*, de São Paulo, torna-se chefe de redação do diário *Hoje*, do PCB, e secretário do Instituto Cultural Brasil-União Soviética. No final desse mesmo ano, volta a colaborar em *O Imparcial*, assinando a coluna "Hora da Guerra", e em 1943 publica, após seis anos de proibição de suas obras, *Terras do sem-fim*. Em 1944, Jorge Amado lança *São Jorge dos Ilhéus*. Separa-se de Matilde Garcia Rosa. Chegam ao fim, em 1945, a Segunda Guerra Mundial e o Estado Novo, com a deposição de Getúlio Vargas. Nesse mesmo ano, Jorge Amado casa-se com a paulistana Zélia Gattai, é eleito deputado federal pelo PCB e publica o guia *Bahia de Todos os Santos*. *Terras do sem-fim* é publicado pela editora de Alfred A. Knopf, em Nova York, selando o início de uma amizade com a família Knopf que projetaria sua obra no mundo todo.

1946-1950

Em 1946, Jorge Amado publica *Seara vermelha*. Como deputado, propõe leis que asseguram a liberdade de culto religioso e fortalecem os direitos autorais. Em 1947, seu mandato de deputado é cassado, pouco depois de o PCB ser posto na ilegalidade. No mesmo ano, nasce no Rio de Janeiro João Jorge, o primeiro filho com Zélia Gattai. Em 1948, devido à perseguição política, Jorge Amado exila-se, sozinho, voluntariamente em Paris. Sua casa no Rio de Janeiro é invadida pela polícia, que apreende livros, fotos e documentos. Zélia e João Jorge partem para a Europa, a fim de se juntar ao escritor. Em 1950, morre no Rio de Janeiro a filha mais velha de Jorge Amado, Eulália Dalila. No mesmo ano, Amado e sua família são expulsos da França por causa de sua militância política e passam a residir no castelo da União dos Escritores, na Tchecoslováquia. Viajam pela União So-

viética e pela Europa Central, estreitando laços com os regimes socialistas.

1951-1955

Em 1951, Getúlio Vargas volta à presidência, dessa vez por eleições diretas. No mesmo ano, Jorge Amado recebe o prêmio Stálin, em Moscou. Nasce sua filha Paloma, em Praga. Em 1952, Jorge Amado volta ao Brasil, fixando-se no Rio de Janeiro. O escritor e seus livros são proibidos de entrar nos Estados Unidos durante o período do macarthismo. Em 1954, Getúlio Vargas se suicida. No mesmo ano, Jorge Amado é eleito presidente da Associação Brasileira de Escritores e publica *Os subterrâneos da liberdade*. Afasta-se da militância comunista.

1956-1960

Em 1956, Juscelino Kubitschek assume a presidência da República. Em fevereiro, Nikita Khruchióv denuncia Stálin no 20º Congresso do Partido Comunista da União Soviética. Jorge Amado se desliga do PCB. Em 1957, a União Soviética lança ao espaço o primeiro satélite artificial, o *Sputnik*. Surge, na música popular, a Bossa Nova, com João Gilberto, Nara Leão, Antonio Carlos Jobim e Vinicius de Moraes. A publicação de *Gabriela, cravo e canela*, em 1958, rende vários prêmios ao escritor. O romance inaugura uma nova fase na obra de Jorge Amado, pautada pela discussão da mestiçagem e do sincretismo. Em 1959, começa a Guerra do Vietnã. Jorge Amado recebe o título de obá Arolu no Axé Opô Afonjá. Embora fosse um "materialista convicto", admirava o candomblé, que considerava uma religião "alegre e sem pecado". Em 1960, inaugura-se a nova capital federal, Brasília.

1961-1965

Em 1961, Jânio Quadros assume a presidência do Brasil, mas renuncia em agosto, sendo sucedido por João Goulart. Yuri Gagarin realiza na nave espacial *Vostok* o primeiro voo orbital tripulado em torno da Terra. Jorge Amado vende os direitos de filmagem de *Gabriela, cravo e canela* para a Metro-Goldwyn-Mayer, o que lhe permite construir a casa do Rio Vermelho, em Salvador, onde residirá com a família de 1963 até sua morte. Ainda em 1961, é eleito para a cadeira 23 da Academia Brasileira de Letras. No mesmo ano, publica *Os velhos marinheiros*, composto pela novela *A morte e a morte de Quincas Berro Dágua* e pelo romance *O capitão-de-longo-curso*. Em 1963, o presidente dos Estados Unidos, John Kennedy, é assassinado. O Cinema Novo retrata a realidade nordestina em filmes como *Vidas secas* (1963), de Nelson Pereira dos Santos, e *Deus e o diabo na terra do sol* (1964), de Glauber Rocha. Em 1964, João Goulart é destituído por um golpe e Humberto Castelo Branco assume a presidência da República, dando início a uma ditadura militar que irá durar duas décadas. No mesmo ano, Jorge Amado publica *Os pastores da noite*.

1966-1970

Em 1968, o Ato Institucional nº 5 restringe as liberdades civis e a vida política. Em Paris, estudantes e jovens operários levantam-se nas ruas sob o lema "É proibido proibir!". Na Bahia, floresce, na música popular, o tropicalismo, encabeçado por Caetano Veloso, Gilberto Gil, Torquato Neto e Tom Zé. Em 1966, Jorge Amado publica *Dona Flor e seus dois maridos* e, em 1969, *Tenda dos Milagres*. Nesse último ano, o astronauta norte-americano Neil Armstrong torna-se o primeiro homem a pisar na Lua.

1971-1975

Em 1971, Jorge Amado é convidado a acompanhar um curso sobre sua obra na Universidade da Pensilvânia, nos Estados Unidos. Em 1972, publica *Tereza Batista cansada de guerra* e é homenageado pela Escola de Samba Lins Imperial, de São Paulo, que desfila com o tema "Bahia de Jorge Amado". Em 1973, a rápida subida do preço do petróleo abala a economia mundial. Em 1975, *Gabriela, cravo e canela* inspira novela da TV Globo, com Sônia Braga no papel principal, e estreia o filme *Os pastores da noite*, dirigido por Marcel Camus.

1976-1980

Em 1977, Jorge Amado recebe o título de sócio benemérito do Afoxé Filhos de Gandhy, em Salvador. Nesse mesmo ano, estreia o filme de Nelson Pereira dos Santos inspirado em *Tenda dos Milagres*. Em 1978, o presidente Ernesto Geisel anula o AI-5 e reinstaura o *habeas corpus*. Em 1979, o presidente João Baptista Figueiredo anistia os presos e exilados políticos e restabelece o pluripartidarismo. Ainda em 1979, estreia o longa-metragem *Dona Flor e seus dois maridos*, dirigido por Bruno Barreto. São dessa época os livros *Tieta do Agreste* (1977), *Farda, fardão, camisola de dormir* (1979) e *O gato malhado e a andorinha Sinhá* (1976), escrito em 1948, em Paris, como um presente para o filho.

1981-1985

A partir de 1983, Jorge Amado e Zélia Gattai passam a morar uma parte do ano em Paris e outra no Brasil — o outono parisiense é a estação do ano preferida por Jorge Amado, e, na Bahia, ele não consegue mais encontrar a tranquilidade de que necessita para escrever. Cresce no Brasil o movimento das Diretas Já. Em 1984, Jorge Amado publica *Tocaia Grande*. Em 1985, Tancredo Neves é eleito presidente do Brasil, por votação indireta, mas morre antes de tomar posse. Assume a presidência José Sarney.

1986-1990

Em 1987, é inaugurada em Salvador a Fundação Casa de Jorge Amado, marcando o início de uma grande reforma do Pelourinho. Em 1988, a Escola de Samba Vai-Vai é campeã do Carnaval, em São Paulo, com o enredo "Amado Jorge: A história de uma raça brasileira". No mesmo ano, é promulgada nova Constituição brasileira. Jorge Amado publica *O sumiço da santa*. Em 1989, cai o Muro de Berlim.

1991-1995

Em 1992, Fernando Collor de Mello, o primeiro presidente eleito por voto direto depois de 1964, renuncia ao cargo durante um processo de *impeachment*. Itamar Franco assume a presidência. No mesmo ano, dissolve-se a União Soviética. Jorge Amado preside o 14º Festival Cultural de Asylah, no Marrocos, intitulado "Mestiçagem, o exemplo do Brasil", e participa do Fórum Mundial das Artes, em Veneza. Em 1992, lança dois livros: *Navegação de cabotagem* e *A descoberta da América pelos turcos*. Em 1994, depois de vencer as Copas de 1958, 1962 e 1970, o Brasil é tetracampeão de futebol. Em 1995, Fernando Henrique Cardoso assume a presidência da República, para a qual seria reeleito em 1998. No mesmo ano, Jorge Amado recebe o prêmio Camões.

1996-2000

Em 1996, alguns anos depois de um enfarte e da perda da visão central, Jorge Amado sofre um edema pulmonar em Paris. Em 1998, é o convidado de honra do 18º Salão do Livro de Paris, cujo tema é o Brasil, e recebe o título de doutor *honoris causa* da Sorbonne Nouvelle e da Universidade Moderna de Lisboa. Em Salvador, termina a fase principal de restauração do Pelourinho, cujas praças e largos recebem nomes de personagens de Jorge Amado.

2001
Após sucessivas internações, Jorge Amado morre em 6 de agosto de 2001.

Jorge Amado, anos 1930

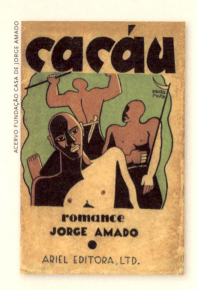

A primeira edição, publicada em 1933, com projeto gráfico e ilustrações de Tomás Santa Rosa (1909-56). Os 2 mil exemplares esgotaram-se em quarenta dias, com a ajuda indireta da polícia carioca, que considerou o livro subversivo

Estes foram os primeiros desenhos de Santa Rosa publicados em livro

Alguns membros da Academia dos Rebeldes, que pretendia varrer a "literatura do passado"; Salvador, 1930: Emanuel Assemany, João Cordeiro, Jorge Amado, Clóvis Amorim, Edison Carneiro, Alves Ribeiro, Guilherme Dias Gomes e Dias da Costa

Almoço de jovens escritores: Joaquim Ribeiro, Martins, Odylo Costa Filho, Raimundo Magalhães Júnior, Diocleciano Martins de Oliveira e Jorge Amado (sentados); Hélio Viana, Dante Costa, o editor Hersen, Hildebrando de Lima, Adolfo Aizen e outros. Rio de Janeiro, 1932

Com Rachel de Queiroz e outros companheiros da Geração de 30

Na casa da atriz e diretora de cinema Carmen Santos, Rio de Janeiro, 1932. Santa Rosa, Jorge Amado, Di Cavalcanti (sentados); José Lins do Rego, Barreto Leite, Noemia, Carmen Santos, Elsie Huston, Humberto Mauro, Simeão Leal e outros

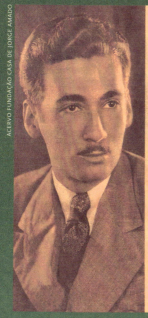

Matéria do jornal A *Noite*, publicada em outubro de 1935

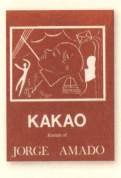

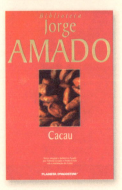

Cacau no mundo: capas argentina, dinamarquesa, espanhola, grega, francesa, holandesa, italiana, japonesa, polonesa e portuguesa

IMAGENS ACERVO FUNDAÇÃO CASA DE JORGE AMADO